Sob a luz de Aldebarã

Edição e distribuição:

Caixa Postal 1820 – CEP 13360-000 – Capivari-SP
Fone/fax: (0xx19) 3491-7000 / 3491-5603
E-mail: editoraeme@editoraeme.com.br
Site: www.editoraeme.com.br

Solicite nosso catálogo completo com mais de 300 títulos.

Não encontrando os livros da EME na livraria de sua preferência, solicite o endereço de nosso distribuidor mais próximo de você através do fone/fax ou e-mail acima.

Luiz Gonzaga Pinheiro

Sob a luz de Aldebarã

Capivari-SP
— 2002 —

Sob a luz de Aldebarã
Luiz Gonzaga Pinheiro

1ª edição – 06/02 – 2.000 exemplares

Capa:
Nori Figueiredo

Diagramação:
EME

———————— Ficha Catalográfica ————————

Gonzaga Pinheiro, Luiz
    Sob a luz de Aldebarã, Luiz Gonzaga Pinheiro, 1ª
edição, junho/2002, Editora EME, Capivari-SP.
    145p.
    1- Espiritismo
    2- Crônicas e comentários espíritas

CDD 133-9

DEDICATÓRIA

Este livro, abraço em forma de alfabeto e celulose, é para minha amiga Socorro Melo. Eu o elaborei com o perfume de algumas flores irlandesas, dei-lhe a coragem de Guevara, a poesia de Neruda e o sonho de liberdade de Biko. As neves do Himalaia, a secura do Saara e as tortuosas estradas de Jerusalém adornam suas páginas. Nos perfumes agrestes que nele coloquei quis lembrar que a distância entre corpos não mede o afastamento entre Espíritos. Socorro! Não há oásis mais bonito que a sua amizade.

Luiz Gonzaga Pinheiro

ÍNDICE

Introdução 9

1 – Evocações da adolescência 11

A evolução 11
Ao princípio não foi assim 15
Prova e expiação 19
Voltar ou voltar 22
Privações 25
A árvore que já não dá maus frutos 28
De toda a vossa alma e de todo o vosso Espírito 31
Dogmas 34
Apenas um i a mais 37
Um encontro com Nietszche 40

2 – Pelos circos da vida 46

Quando todo sentimento é inútil 46
Atropelamento na calçada 50
Hansenianos 56
Asilos 61
Noções erradas sobre a divindade 66
Introjetando a culpa 71
Competência espírita 76
Acomodação e carma 80

A candeia debaixo do alqueire 85

Superdotados e infradotados 88

A verdade 94

Mudança de sexo 100

O gosto por romances e mensagens 106

Considerações sobre a compreensão e a justiça 110

Amnésia 118

Orai sem cessar 123

Os suicidas 127

Fugas 132

Fotografia 135

Mãe de Deus 137

Saber e sabor 141

Conclusão 144

Introdução

Primeiro pensei em escrever as "Pérolas da juventude". Mas, eu ainda me sinto na juventude e creio que jamais sairei dela.

Portanto, resolvi reportar-me à adolescência, às minhas primeiras dúvidas na Doutrina Espírita (que certamente não são apenas minhas), aos passeios pelos circos da vida, retornando para o hoje com suas inúmeras oportunidades de serviço. Tenho caminhado todos esses anos de Doutrina Espírita, sob a metralha dos que se dizem meus inimigos e o afago dos amigos. Os que me perseguem, o fazem pela minha função de doutrinador dentro da casa espírita. Os que me protegem e auxiliam agem pelo mesmo motivo. Aprendi que quem trabalha para o bem, mesmo contribuindo com milimétricas realizações, caminha sob a proteção de Jesus, em cenário onde toda sombra é dispersa pela luz da mais bela das estrelas, Aldebarã.

Na verdade, o melhor momento da vida é o agora. Esse instante que vivemos pode definir todo o percurso futuro. O passado está congelado no tempo. Recuamos para os momentos felizes lá vividos motivados por inadaptações presentes.

O agora tem o poder de decisão; a caneta que escreve o drama ou a comédia onde somos protagonistas; o arado que faz florescer qualquer quintal. Se o ontem é um caderno de lições, o hoje nos permite aplicá-las.

Por esta razão dividi o livro em três momentos: Evocações da Adolescência, Pelos Circos da Vida, e, Hoje é o Melhor

Momento.

Sob a luz de Aldebarã, os espetáculos devem ser sempre novos. Na vida, se é que ainda necessitamos de escândalos, que estes sejam sempre novos, pois é insensatez cometer erros já vividos. Se um raio quebra o picadeiro, uma chuva lava a alma. O espetáculo precisa continuar. Viemos ao mundo a serviço. Qualquer um que diga o contrário é um enganador. Não nos neguemos a participar das construções do mundo a pretexto de estarmos ocupados com nossas lágrimas.

Essa é a mágica do agora. Transformar o hoje no prelúdio da glória do amanhã. O hoje é o espetáculo maior nos circos da vida, embora não nos proíba lembrar o roteiro passado. O amor, esse sentimento predestinado a transformar homens em anjos, é o companheiro ideal para esse tempo.

Foi pensando assim que apenas fiz breve incursão ao passado e voltei para o presente, para o espetáculo do hoje, o maior da minha vida inteira.

Este é o recado deste livro. Com amor e trabalho qualquer espetáculo é digno da espécie humana. Somos todos parte desse imenso tablado que um dia será tão luminoso quanto Aldebarã.

– 1 –
EVOCAÇÕES DA ADOLESCÊNCIA

A EVOLUÇÃO

Evoluir é tudo que se quer neste vasto mundo. Através de "O Livro dos Espíritos", aprendi o significado da palavra evolução para o Espírito. Crescimento moral-intelectual, aperfeiçoamento, proximidade com Deus. Todavia, Deus detém em si a perfeição infinita, o que significa dizer que o conceito de um Deus em evolução não se enquadra nos pensamentos espíritas.

Deus, inteligência suprema, não necessita evoluir mais, por ter atingido... Não posso dizer, "ter atingido". Passa uma idéia que Ele foi evoluindo até atingir o grau máximo da perfeição. E Deus é perfeito desde sempre. Reformulemos a frase, então. Deus, inteligência suprema, não necessita evoluir, pois situa-se no ápice da evolução, onde somente Ele esteve desde sempre.

Criador da própria evolução, espelhou-se em seus atributos, nos ideais de justiça e liberdade, para arquitetar um modelo onde todos pudessem crescer em virtudes e sabedoria, até que, por méritos próprios, Dele se aproximassem para entendê-Lo em plenitude. Aproximar não é bem o termo, pois Dele estamos sempre próximos. Soa melhor, com Ele nos identificarmos, pois Deus não habita um lugar específico do universo, isso O limitaria espacialmente.

Até aqui o meu coração espírita entendia bem. Mas, um dia, visitando o Círculo de Renovação Espiritual, ouvi do palestrante da noite uma frase que me deixou pensativo vários dias. Meu coração espírita sempre gostou de aceitar tudo que vem da Doutrina, mas minha cabeça dança em compasso diferente. Necessita primeiramente repartir os ensinamentos, registrar-lhes a coerência, para depois juntá-los e liberar o coração para que se entregue sem reservas. A minha cabeça e o meu coração parecem nunca concordar quanto a esse detalhe. Aquela é fria, metódica, analítica, questionadora, crítica. Este é emoção, sentimento, doação, entrega. Por isso minha cabeça pôs rédeas em meu coração e não as larga um só instante, para que ele não faça muita bobagem. Mas, mesmo com tanta vigilância, às vezes, minha cabeça se deixa adormecer com os sonhos bonitos que meu coração traz e, adormecida, baixa a guarda. É então que ama sem os entraves da lógica e do racionalismo, pois em determinados ângulos do amor os homens comuns não encontram nenhuma lógica.

Disse o orador: A evolução para o Espírito é infinita. Enquanto ele existir, quer dizer, sempre, continuará evoluindo. O coração achou lindo. A cabeça puxou as rédeas e começou o seu velho exercício de contestação e de busca. Se Deus não evolui, pois encontra-se no topo, e o Espírito continua evoluindo para sempre, não chegará o dia em que ambos se igualarão? Comecei a visualizar Deus parado no ápice e o Espírito caminhando... caminhando. Infinito é infinito! O Espírito terá que encostar em Deus um dia.

O coração tentou argumentar dizendo que Deus tudo pode e que a lógica humana é diferente da lógica divina, mas a cabeça encerrou o assunto enfatizando: Tudo pode! Menos agir como mágico. No outro dia, saí à procura de argumentos matemáticos que me convencessem estar a frase do orador correta. De tanto procurar, cheguei a Zenão, o eleata que gostava de propor "quebra-cabeças" a seus contemporâneos, deixando-os malucos na busca de soluções. Mas que sujeito, pensei. Não tinha outra coisa a fazer senão ficar engendrando testes praticamente insolúveis para outros desocupados?

Mas Zenão era um filósofo, e como tal, tinha o dom de

Sob a luz de Aldebarã

perturbar pessoas que não conseguiam ultrapassar o senso comum. O mais lembrado de seus enigmas é o paradoxo de Aquiles, e tem o seguinte enunciado: Aquiles aposta uma corrida com uma tartaruga. Ele corre 10 vezes mais que ela. A tartaruga parte com uma vantagem de 100 metros. Antes de alcançá-la, Aquiles deverá chegar primeiro ao ponto de partida da mesma. Ao atingir o citado ponto, a situação se assemelha à anterior. Então Aquiles terá que alcançar o ponto em que a tartaruga se encontrava neste segundo momento da corrida, antes de atingi-la definitivamente. A seguir semelhante raciocínio, conclui-se que Aquiles jamais alcançará a tartaruga.

Na prática, sabemos que Aquiles pode alcançar e ultrapassar a tartaruga, mas, em que momento? Esse momento parece ser indeterminado e matematicamente inacessível. Clareemos um pouco a questão, com o auxílio da Matemática.

Temos a soma $10+1+0.1+0.01+0.001+0.0001+0.00001+... = 11,11111...$ com limite tendendo para o numeral doze, sem jamais atingi-lo. Todavia, como Aquiles e a tartaruga caminhavam, não considerei uma boa imagem representativa para a divindade, mas o raciocínio matemático estava excelente.

Será que essa imagem não lembra Deus? Colocando-O como o numeral 12, e o Espírito partindo do desconhecimento, evoluindo este a cada passo, sem nunca atingir Aquele? Não temos aqui uma pálida idéia do absoluto, do insondável que Ele é? Fiquei imensamente feliz pela minha pesquisa. Aquela soma infinita era fascinante e lembrava bem a saga do Espírito em busca da luz maior que é Deus. Mesmo que em determinada encarnação o Espírito nada adicionasse a sua evolução, isso não alteraria a soma, pois ele teria que adicionar a posteriori a parcela faltosa.

Toda aquela acrobacia mental me fortaleceu a idéia de um Deus cientista, matemático por excelência, que não precisava usar a magia para explicar a sua superioridade. Por mais incrível que pareça, aquela pesquisa aumentou o meu amor pelo criador de todas as ciências e me fez sentar, após o terceiro ano científico, na cadeira da Universidade Estadual para fazer o primeiro vestibular, de Matemática é claro. Ao final da minha pesquisa, a cabeça rendeu-se ao coração, ficando os dois em vasto salão, a conversarem sobre quantas estrelas existem no céu ou quantas cores pintam o chão bordado de Saturno. Quase não dormi naquela noite. Queria curtir a lua, ouvir o silêncio, falar com Deus. Na verdade, queria correr aquela soma como o trem-bala faz sobre os trilhos, quando dirigido por alguém que volta para casa e lá está o seu amor terreno maior. Naquele momento era tudo que eu queria. Apressar esse encontro, chegar o mais próximo possível de Deus. E isso, eu já estava bem consciente dessa verdade, depende de cada Espírito. Cada um constrói sua própria soma, com as parcelas e o tamanho que quer.

Hoje, meu coração comanda a minha interação com Deus, por limitações óbvias da minha cabeça. Talvez um dia, quem sabe, Deus me permita entendê-Lo num desses lampejos em que se fecha o universo nas mãos, em que se é levado em Espírito por redemoinhos de revelações. Enquanto isso, o melhor é ir acrescentando pequeninas frações de amor na busca da estreita porta por onde Deus vigia o vento, para que não despetale muito rapidamente as flores do campo.

Ao PRINCÍPIO NÃO FOI ASSIM

Uma outra dúvida logo se estabeleceu dentro de mim. E quando isso acontece, fico inquieto até que a solucione. Queria saber o real significado atribuído à palavra, **princípio**, no texto de Mateus, transcrito em "O Evangelho Segundo o Espiritismo", em seu capítulo XXII.

Naquele tempo eu ainda não me interessara por divórcio, pois sempre acreditei serem firmes os laços em uma relação de amor. Falo de amor a qualquer coisa. A relação de amor que eu tenho com o estudo da Doutrina Espírita tem sido prioridade que não se deixa fragilizar em minha vida. Uma relação assim, para que se estabeleça, precisa ser trabalhada, entendida e alimentada. E isso demanda tempo.

Chamou-me a atenção a maneira como Kardec desdobrou o texto abaixo, dando-lhe um caráter interpretativo, fora dos padrões do evolucionismo, o que não lhe é peculiar. Aprofundemos um pouco a questão, dando margem a que os leitores tirem suas próprias conclusões.

Diz "O Evangelho Segundo o Espiritismo" em seu capítulo XXII — Não separeis o que Deus juntou: ... No princípio não foi assim, ou seja, na origem da Humanidade, quando os homens não estavam ainda pervertidos pelo egoísmo e pelo orgulho, e viviam segundo a Lei de Deus, as uniões, fundadas na simpatia recíproca e não sobre a vaidade ou a ambição, não davam motivo ao repúdio".

No capítulo III do mesmo Evangelho, Há Muitas Moradas

16   *Luiz Gonzaga Pinheiro*

na Casa de Meu Pai, pode-se observar a seguinte afirmativa: "... Nos mundos inferiores a existência é toda material, as paixões reinam soberanas, a vida moral quase não existe". E mais adiante: "... Nos mundos mais atrasados, os homens são de certo modo rudimentares. Possuem a forma humana, mas sem nenhuma beleza; seus instintos não são temperados por nenhum sentimento de delicadeza ou benevolência, nem pelas noções do justo e do injusto; a força bruta é a sua única lei."

Esse pequeno trecho acima transcrito foi retirado do "Resumo do ensinamento de todos os Espíritos Superiores".

Mas, por que tantas citações?

Para podermos entender sem mesclas de dúvidas, os ensinamentos de Jesus e dos Espíritos que nos orientam doutrinariamente. O que Jesus quis dizer com: "No princípio não foi assim?" Mas isso não foi Jesus quem disse, e sim Kardec. No texto extraído de Mateus, lê-se: "Ao princípio não foi assim". Mas, será que a simples troca de **no** por **ao**, pode mudar a essência da frase?

Façamos o papel de alunos rebeldes e questionemos.

"No princípio não foi assim, ou seja, na origem da Humanidade quando os homens ainda não estavam pervertidos pelo egoísmo e pelo orgulho, e viviam segundo as leis de Deus..."

Ora, eu sempre pensei que na origem da Humanidade, as condições fossem as descritas pelos Espíritos Superiores, quando nos relatam sobre os mundos inferiores. Nessa condição, os Espíritos são simples e ignorantes, afirmam os mestres desencarnados. Ainda têm pela frente tempestades naturais próprias da evolução. Se na origem da Humanidade os homens viveram segundo as leis de Deus, eles já seriam evoluídos, teriam nascido perfeitos e degenerados depois, o que é contrário à lei de evolução. Se na origem ou infância da Humanidade os instintos não são temperados por nenhum sentimento de delicadeza, nem pelas noções do justo e do injusto e a força bruta é a lei que impera, como entender que os homens respeitassem e fossem fiéis às suas mulheres? Ao longo de toda a história da Humanidade, não foram

Sob a luz de Aldebarã

as mulheres subjugadas, discriminadas, tidas como propriedade dos maridos, sem vez e voz nas decisões de qualquer natureza?

Que tempo será esse a que se referem os Espíritos, chamado de "origem da Humanidade", em que as mulheres não eram repudiadas pelos maridos, pois as uniões estavam sempre de acordo com as leis de Deus? Onde haverá transcorrido tal tempo em que os homens não estavam contaminados nem pelo orgulho ou egoísmo, e que eram fiéis amantes de suas esposas, se hoje, século XX, ainda não consegui divisar essa maravilha? A mensagem maior que o passado da Terra deixou escrito para a modernidade é o conflito de interesses, predomínio do mal sobre o bem, supremacia do material sobre o espiritual, e isso também vale para qualquer planeta inferior. O antigo desenho do meu primeiro livro de História, no qual apresentava o homem das cavernas com uma clava na mão e os cabelos da mulher na outra, não me parece distante do cotidiano de uma boa parte dos habitantes terrenos. Claro que há exceções. Mas o bem, obrigado a tomar soníferos pela imposição dos que se julgam donos do planeta, parece sonolento demais para um estridente grito de liberdade.

"Ao princípio não era assim". A que princípio Jesus se referia? Ao princípio da Humanidade, sua infância? Essa idéia está ligada a temporalidade e não se encaixa muito bem na explicação evolutiva. Ou será que Jesus falava do princípio moral, da lei, da essência que traduz comando, ordem, disciplina. "Mas ao princípio não foi assim", poderia muito bem ser traduzido como: mas conforme a lei, isso está em desacordo; segundo o princípio divino, a lei, isso não deveria ser assim; voltando-se ao princípio (pois a lei surgiu antes dos Espíritos), tomando-o como referencial, isso não foi estabelecido assim.

Com essa interpretação, fazendo-se equivalente princípio e lei, a partícula **ao** se enquadra sem embaraços. A interpretar princípio como tempo, a partícula **no** é mais indicada para traduzir a idéia de temporalidade. Todavia, essa interpretação vai de encontro ao texto explicativo das condições morais, intelectuais e materiais dos homens em sua origem, ou seja, torna difícil a conciliação da anarquia de um mundo inferior com homens livres do orgulho e do egoísmo nele residindo.

Resumindo, penso que Jesus se referiu ao princípio moral, lei, e não princípio-tempo, como interpretou Kardec. A concordar com as condições perfeitas do casamento na infância da Humanidade, como justificar o comportamento dos homens primitivos?

Creio que uma boa parte da confusão que se estabelece na interpretação da Bíblia deve-se a uma teoria ultrapassada, o criacionismo, já banido definitivamente dos compêndios científicos. A ciência já provou através de rigorosos testes que o que vige é o evolucionismo. Pelo criacionismo, Deus criou o homem já evoluído, conhecedor da lei, e este foi se desviando dela por vontade própria. Sob essa angulação, pode-se admitir que no princípio não era assim, posto que o homem recebera de Deus os ensinamentos corretos de como proceder diante do casamento.

Pelo evolucionismo, essência que permeia todo o arcabouço espírita, o Espírito parte da singeleza do desconhecimento para o domínio do conhecimento. E essa é a razão pela qual prefiro optar pelo princípio-lei e não pelo princípio-tempo.

Procurei aconselhar-me com velho amigo, sobre aquela dúvida e ele humoristicamente me confidenciou: Tenho dúvidas sobre este assunto, pois, dentre os animais, mais simples e ignorantes que os próprios Espíritos em seus estágios iniciais de evolução, existe um "quebra-pau" dos diabos por causa das fêmeas, na maioria das espécies. Tive que concordar com ele. A disputa pela fêmea no reino animal é algo sério.

Mas essas coisas, só com as fugas para as bibliotecas da Universidade e a solidão comigo mesmo é que foram se revelando na minha impaciente e indagadora cabeça de dezessete anos. A alma, não sei quantos anos tem. Sei apenas, que deve ter varrido muitos chãos de templos, buscando o seu alimento maior, o conhecimento.

PROVA E EXPIAÇÃO

Eu já estudara "O Livro dos Espíritos" questão por questão, antes de ingressar na mocidade espírita, e vários pontos me intrigavam a alma. A pergunta 539 e a sua conseqüente resposta me deixara perplexo. Como controlar um furacão que leva tudo consigo, evitando que este atinja pessoas e bens, tendo estas que arcar com um prejuízo real, quando em seus carmas não constavam débitos? E um terremoto? E mais! Como os Espíritos conseguem produzir fenômenos de tal magnitude? As próprias forças do planeta, a pressão, a temperatura, a gravidade não são as causas naturais de tudo isso? Determinado maremoto não pode ser fruto apenas da acomodação das camadas do terreno? Se um vulcão explode e alguém afirma ser a tragédia obra dos Espíritos, não seria voltar aos tempos primitivos, em que Deus se irava e provocava desastres como punição pelos pecados do povo?

Não seria "espiritizar" em excesso os fenômenos naturais, cuja causa é o conjunto de leis específicas do planeta?

Ia estudando e registrando as dúvidas em caderno, muitas das quais ainda sobrevivem comigo para estudos posteriores. Um dia, pensava, ainda vou formar um grupo de estudos espíritas e aprofundar todas as questões que me desafiam.

Quando atingi a pergunta 940, tive que estabelecer de maneira milimétrica o que viria a ser uma prova e uma expiação. Vejamos a pergunta:

— A falta de simpatia entre os seres destinados a viver juntos, não é igualmente uma fonte de desgosto tanto mais amarga quanto envenena toda uma existência?

— Muito amargas, com efeito. Mas é uma dessas infelicidades das quais, freqüentemente, sois a primeira causa. Primeiro, são vossas leis que são erradas. Por que crês que Deus te constrange a ficar com aqueles que te descontentam? Aliás, nessas uniões, freqüentemente, procurais mais a satisfação do vosso orgulho e da vossa ambição do que a felicidade de uma afeição mútua; suportareis, nesse caso a conseqüência dos vossos preconceitos.

— Mas, nesse caso, não há quase sempre uma vítima inocente?

— Sim, é para ela uma dura expiação...

Em primeiro lugar, Kardec e os Espíritos admitem que há vítimas inocentes. Isso me tirou um pouco da precisão matemática do carma, dando margem a que eu entendesse que em um terremoto também pode haver vítimas inocentes que morrem ou sofrem sem que estejam comprometidas com a tragédia. A idéia do carma não ser tão matemático me agradou pela possibilidade da quitação de dívidas com outras moedas. Todavia, o ponto central da minha discordância na resposta dada pelos Espíritos era outro. Restringia-se ao emprego, a meu ver inadequado, da palavra expiação. Penso que a palavra prova seria a ideal naquela circunstância.

Expiação quer dizer castigo, cumprimento de pena, purificação de erros cometidos, remissão de culpas. Prova equivale a experiência, transe doloroso, situação aflitiva. Ora, se a vítima é inocente, como cumprir pena, purificar-se de crimes cometidos, remir-se de culpas? Mas correto seria dizer: Sim, é para ela, uma situação aflitiva, um transe doloroso, uma experiência, uma prova ou provação, enfim.

Mas, que peso tem uma palavra para justificar uma pesquisa seguida de observação para mudá-la?

Todo o peso que a clareza doutrinária requer. Sempre nos

Sob a luz de Aldebarã

disseram que a Terra é um mundo de provas e expiações, portanto, estabelecendo nitidamente a diferença entre uma e outra terminologia, entenderemos melhor o conceito de justiça. É importante que cada palavra traduza a real situação dentro do contexto em que se situa, para que a confusão não se estabeleça em meio aos princípios doutrinários.

A confundir prova com expiação, adicionaremos dívidas a quem não as possui e elevaremos à condição de inocência devedores inveterados. Além do mais, Kardec sempre primou pela excelência e clareza naquilo em que escrevia, o mesmo valendo para os Espíritos que o orientavam. Se a resposta à pergunta 940 induz o aprendiz a confundir expiação com prova, a mesma deve ser revista e clarificada.

Não há nenhum demérito em colocar notas explicativas no rodapé das obras da Codificação. Kardec não pôs o selo da terminalidade em sua obra. Antes, alertou os aprendizes para que a sua evolução estivesse coerente com a ciência e de braços com o bom senso.

Já passei dezenas de vezes por esta pergunta e sempre lembro da primeira vez que a li, discordando da inadequação em seu contexto da palavra expiação. Eu a contabilizo como um desses descuidos de quem escreve, o qual deve ser corrigido por um bom revisor. Há mais de 130 anos que esse revisor não aparece. Não seria o caso de uma equipe multidisciplinar fazer algumas notas no pé da página, apresentando-as à comunidade espírita como sugestões?

Creio que esse pensamento é coerente com o espírito evolutivo da Doutrina.

Voltar ou voltar

Quando li "A Gênese" de Allan Kardec, pela primeira vez, detive-me exageradamente na análise do cap. XV — Os Milagres do Evangelho — tanto pela figura de Jesus, exemplo maior de amor e de justiça frente aos encarnados, quanto pela defesa intransigente que Kardec faz na condição de Jesus homem, ser de carne e osso, pessoa humana que padeceu fome, sede, dor, ingratidão.

Mas o que me deixou perplexo foi saber que a FEB discordava de Kardec, que considerava seus argumentos inócuos, de vez que em sua interpretação Jesus tivera um corpo fluídico.

A ser assim, enfatiza Kardec, ele teria fingido o tempo todo, sendo excelente ator, pois disso ninguém desconfiou um só segundo de sua vida. Adicione-se a este título o de mistificador, e ressalte-se que, por este crime, nem Roma, nem os fariseus, que procuravam incriminá-lo a qualquer custo, nem os apóstolos, nem sequer os cegos e os leprosos, que se atiravam a seus pés para beijá-los, julgaram estar diante de uma mistificação ambulante.

Que um homem tenha lá suas opiniões, admite-se. A escala que separa a idiotice da genialidade, comporta inumeráveis caminhantes. Mas, que ele se aproveite de uma posição mundana e transitória para induzir outros a seguir seus distorcidos raciocínios, é lançar a ética no pântano das incoerências.

As notas da editora, nas páginas 354 e 355 da 17ª edição de "A Gênese", tradução de Guillon Ribeiro, são nitidamente

Sob a luz de Aldebarã 23

tendenciosas a favor do corpo fluídico de Jesus, teoria soterrada por Kardec, mas ainda rodeada pelos adoradores de escombros.

Diz a nota: "Diante das comunicações e dos fenômenos surgidos após a partida de Kardec, concluiu-se que não houve realmente vão simulacro, como igualmente não houve simulacro de Jesus, após a sua morte, ao pronunciar as palavras que foram registradas por Lucas (24:39): — Sou eu mesmo, apalpai-me e vede, porque um Espírito não tem carne nem osso, como vedes que tenho".

E a outra: "Não somente foram anatematizados os apolinaristas, mas também os reencarnacionistas e os que se põem em comunicação com os mortos".

Ora, Kardec disse: Se tudo nele fosse aparente, todos os atos de sua vida, a reiterada predição de sua morte, a cena dolorosa do jardim das oliveiras, sua prece a Deus para que lhe afastasse dos lábios o cálice de amarguras... não teria passado de vão simulacro... .

Diante das comunicações e dos fenômenos surgidos após a partida de Kardec...

Que comunicações? Quais fenômenos? Mesmo que uma única comunicação tivesse surgido a favor da opinião da FEB, esta teria que submeter-se a velhas perguntas anti-embuste. De onde veio? Por quem veio? Por que veio? Sabe-se, e a advertência partiu do próprio Jesus, que lobos se travestem de ovelhas e que os falsos profetas seriam capazes de alguns prodígios, enganando a muitos. Mas, nesse caso, o lobo quis ficar no cipoal e apenas espalhou o boato do ouvi dizer, que alguém comunicou algo, que aconteceu um fenômeno. Alguém foi não sei aonde, comprar não sei o quê e volta não sei quando, tal é o recado da FEB, escrito em forma de nota de rodapé.

Que fenômeno? Físico ou químico? Comunicação verbal ou escrita? Quando? Onde?

Ora, só os lobos caem em armadilhas de lobos. A nota,

além de vaga, imprecisa, dispensável, é também inócua pela falta de consistência.

Não somente foram anatematizados os apolinaristas, mas também os reencarnacionistas... . Crianças! Por que tantas travessuras? Será que julgam os espíritas leitores medíocres, a tal ponto de não entender o raciocínio, aliás primário, embutido nesta nota? Se anatematizaram os reencarnacionistas e eles estavam certos, podem ter feito o mesmo com os apolinaristas.

Meus queridos FEBIANOS. Sei que vocês estão acuados, não somente pelos espíritas sinceros. Espreitam-lhes o bom-senso, a fidelidade, o progresso, a argumentação diamantina de Kardec, a caneta inesgotável e implacável dos defensores do Espírito de Verdade.

Não há como avançar e o passo seguinte é a queda. O dilema está no ar. Não avançar é recuar. Estamos em um daqueles momentos em que, ou o abismo sai da frente, o que é impossível, ou alguém põe montanhas sobre ele tornando-o plenitude.

Todavia, montanhas, plenitude, coerência, verdade, são endereços da codificação kardequiana.

É voltar ou voltar! Ainda bem, para vocês, que o Espiritismo tem lugar para os arrependidos.

Privações

Um dos mais extensos capítulos que vem sendo escrito a ferro e fogo no livro das injustiças desse planeta, é o que traz o gosto amargo das privações. O homem comum, trabalhador, humilde, se vê privado de alimentos, vestimenta, medicamentos, solidariedade, e até, em alguns casos, do exercício formal de sua religião, caso ela resolva cobrar alguns cobres pela sua visita ao templo.

O poder econômico lhe impõe uma vida miserável e não há como se ter harmonia doméstica com a fome e a miséria instalada na sala de estar e a doença rondando a porta de entrada. A preocupação em criar filhos, alimentá-los, mantê-los na escola, curar o doente, vai triturando aos poucos a ternura inicial do casamento. A dor de dente do mais velho, a verminose do mais novo, a mulher que despede a beleza por conta da lavagem de roupa no tanque e a fumaça do fogão, o credor que não se afasta das cercanias, a perturbação sempre próxima das mãos fazem da vida uma neurose angustiante.

O sonho de ser feliz na pobreza parece não existir em parte alguma. Sem a aquisição do necessário para a vida, tudo parece embrutecer e a revolta costuma ser o sentimento dominante. Mas, qual o limite do necessário? Isso varia conforme cada indivíduo. Ao trabalhador deve-se habitação, saúde, alimentação, vestuário, educação, lazer. A lista é extensa a seus familiares, mulher e filhos.

Se o mais rico é aquele que tem menos necessidade, diz "O Livro dos Espíritos", estas parecem ser as necessidades mínimas de alguém que trabalha e, por isso mesmo, deve participar da riqueza que seu esforço proporciona. Mas, trabalhador também sonha. Alguns até pensam em trazer flores para a esposa, tomar uma cerveja no final do dia, comprar um brinquedo para o filho, visitar aquele teatro que construiu e que nunca pode ver seus espetáculos. A vida de quem trabalha neste país parece sempre vigiada pela sentinela da privação, pronta para entrar em cena quando algum sonho aparece. Isso permanecerá até que todos se eduquem, se organizem e venham a exigir seus direitos patrocinados pela justiça social.

Mas, por que falar de privações, se já as temos tantas? Por causa da pergunta 927 de "O Livro dos Espíritos" e de sua resposta, que dizem:

— O supérfluo, certamente, não é indispensável à felicidade, mas não se dá o mesmo com o necessário; ora, a infelicidade daqueles que estão privados do necessário não é real?

— O homem não é verdadeiramente infeliz senão quando sofre a falta do que é necessário à vida e à saúde do corpo. Pode ser que essa privação seja por sua culpa e, nesse caso, ele não deve imputá-la senão a si próprio. Se ela é por culpa de outrem, a responsabilidade recairá sobre aqueles que sofrem, porque serão consolados.

Pois é! Não entendi a última frase da resposta. "Se ela é por culpa de outrem, a responsabilidade recairá sobre aqueles que sofrem, porque serão consolados".

Se a privação que o trabalhador ou qualquer outra pessoa sofre é motivada por outra pessoa, a responsabilidade deverá recair sobre a pessoa que a provoca. Sobre a causa e não sobre quem sofre os efeitos.

Responsabilidade quer dizer obrigação de responder pelos seus atos, ou pelos atos de alguém. Fazendo certo esforço

Sob a luz de Aldebarã

imaginativo, poderíamos interpretar a questão do seguinte modo: a responsabilidade (obrigação de responder pelos seus atos) recairá sobre aqueles que sofrem (a privação) pois se forem resignados, serão consolados. Mas, atentando para o contexto no qual a frase está inserida nos deparamos com uma contradição. Se a privação tem gênese naquele que a sofre, então a culpa lhe compete, e ele que assuma a responsabilidade de resgatá-la. Se a privação é motivada por outra pessoa, então a responsabilidade deverá recair sobre esta outra pessoa e não sobre quem sofre a constrição, o efeito da privação. Estou fazendo tempestade à toa, dirão alguns. Ou, querendo aparecer, dirão outros. Todavia, não estou interessado em críticas pessoais, mas em respostas para as minhas dúvidas, que são extensas. Será que a redação não ficaria mais clara dessa maneira: "... Se ela é por culpa de outrem, a responsabilidade recairá sobre estes, pois aqueles que a sofrem, se a suportarem com resignação serão consolados." Mas aqui eu abriria enorme parêntese para que a palavra resignação não viesse a ser confundida com medo, acomodação, subserviência, conivência, covardia...

No bom português, resignação significa: coragem para enfrentar a desgraça; paciência. Com coragem e paciência, com um ideal justo a norteá-lo, o homem é imbatível.

Nesses dias de saudosismo da juventude, não que eu esteja me sentindo velho, essas inquietações parecem voltar com muita ênfase, como me forçando a nada deixar inconcluso para trás.

E é por isso que eu as estou despertando da memória. A dúvida de um é, às vezes, a dúvida de centenas.

Quem sabe, nessas idas e voltas eu não encontre alguma semente?

A ÁRVORE QUE JÁ NÃO DÁ MAUS FRUTOS

Eu já havia terminado o estudo de "O Livro dos Espíritos" e iniciara a leitura de "O Evangelho Segundo o Espiritismo". Era um livro com uma capa bonita, cuja apresentação fugia aos padrões normais da época, sempre apresentando a figura de Kardec, fechada em sua austeridade. O meu Evangelho tinha um pôr do sol, e logo na segunda página, o conceito de fé que me nortearia a existência: "Fé inabalável é somente aquela que pode encarar a razão, face a face, em qualquer época da humanidade". A seguir, o nome do tradutor, professor Herculano Pires, de cujos livros, adquiridos a posteriori, guardei inesquecíveis lições.

Na primeira leitura, a que se faz mais rápido à procura de algo que não se sabe exatamente o que é, mas que nos surpreenda, cheguei ao cap. XVIII — Reconhece-se o Cristão Pelas Suas Obras — texto de Simeão, escrito em Bordeaux no ano de 1863. Esse texto descreve a árvore frondosa que é o Cristianismo, generosa em bons frutos, desde muitos séculos, espalhando vida, esperança e fé no deserto abrasador de muitos homens.

Mas, em dado momento, Simeão, ou Herculano Pires, em sua tradução, comenta: ... "Seus ramos estéreis já não produzem maus frutos, pois nada mais produzem". Fiquei pensando naquela construção de frase. Quando digo, Marcelo já não bebe, isso quer dizer que ele bebia no passado. Se proclamo, a figueira já não floreia, passo uma idéia que antes ela floreava. Então, por qual

Sob a luz de Aldebarã

motivo estava lá escrito que a árvore do Cristianismo já não produzia maus frutos, se ela nunca os produziu? Muitos homens, falsos cristãos, praticaram abusos em nome do Evangelho. Ladrões, assassinos, torturadores, hipócritas, em se apoderando de cargos e funções transitórias, a pretexto de defender o Evangelho e salvaguardar a fé, produziram extensos pomares com maus frutos. Todavia, o mal estava neles e a árvore da vida saiu incólume de tantos dramas. Nesse contexto, seus ramos não podem ser estéreis e jamais dariam maus frutos. A árvore da vida que Jesus, o jardineiro da esperança, nos trouxe, ainda é a mesma. Aqueles que nos apresentaram árvores diferentes o fizeram de sua própria lavra, cultivadas em seus corações. O coração de muitos homens é terreno pantanoso onde nenhuma árvore boa tem chance de florir. Aguarda a dor com seus adubos para corrigir o solo e transformar a aridez em campos floridos. O coração de muitos não conhece a árvore da vida, mas a que eles regaram, cujos frutos amargos e ramagem urticante não traduz a marca do aconchego fraterno que caracteriza o Evangelho.

Cabem ao viajante a responsabilidade, a vigilância, a lucidez na escolha do abrigo que lhe convém. Aquele que tudo aceita sem reservas, que não utiliza a criticidade e a alia ao bom-senso, paga o preço do engodo. Ao acreditar que tudo que reluz é ouro, o descuidado torna-se joguete de ilusões grosseiras, acordando com pesado fardo sobre os ombros.

Não é o próprio Evangelho que admite não bastar dizer Senhor, Senhor, para ter ingresso no reino de Deus? Quando ouvirmos falar do Senhor, meditemos bastante no que dizem Dele, ou no que dizem que Ele disse, para não sermos trapaceados em nossas sinceras aspirações.

O Senhor ama e é justo. Se alguém que não ama e não pratica a justiça diz Senhor, o faz inutilmente. O Senhor é misericordioso e humilde. Alguém que cheira a prepotência, transpira orgulho e clama, Senhor, o faz com leviandade. O Senhor é doação plena. O egoísta diz Senhor, com falsidade. Estudar o que dizem, como dizem e por que dizem tais coisas em nome do Senhor é dever de todos que cultivam a verdadeira árvore da vida. Portanto, quando alguém bradar, Senhor, apuremos nossos ouvidos e muito mais a nossa razão. O coração e a mente do homem justo sabem discernir o que é bom para si e para o seu irmão. A não ser assim, o pensamento de Kardec sobre a fé inabalável, que inicia o Evangelho, não teria nenhuma utilidade.

Acho que Simeão usou apenas um recurso de linguagem para embelezar o seu texto, que é bom. Todavia, se me causou estranheza, pode acontecer a outro que não penetre na alma do texto, beijando-lhe apenas a superficialidade.

DE TODA A VOSSA ALMA
E DE TODO O VOSSO ESPÍRITO

Na Mocidade Espírita Mário Rocha, onde prossegui meus estudos espíritas, pois que os iniciei sozinho, cada membro tinha seus livros e os debates eram sempre apaixonados, como apaixonados são os jovens em suas discussões. Dr. Mário, profundo conhecedor do Espiritismo, incentivava estudos e debates, mas sobretudo a vivência doutrinária. Homem estudioso, pois era professor universitário, jamais se negou a discutir, esclarecer, aprofundar ou tirar dúvidas de seus dirigidos. Disciplinado e disciplinador, sabia como poucos unir caridade e disciplina, mostrando uma postura exemplar, que nos servia de referencial dentro da doutrina. De caráter sólido como os cedros do Líbano, fazia-se amado pelos méritos que conquistara, sobretudo pela virtude que mais o caracterizava, a justiça, pois a vivia como se ela estivesse no ar que respirava.

A mocidade que freqüentei e onde passei muitos anos em estudos e debates tinha a marca inconfundível da pesquisa. Aprendi a rastrear textos, retendo o bom e destinando à lixeira as inutilidades. Treinei mãos na escrita e ouvidos na escuta, e hoje, quando Dr. Mário Rocha já não se encontra no rol dos encarnados, continuo fiel a seu estilo, com a sua ajuda.

E foi na leitura inicial de "O Evangelho Segundo o Espiritismo" — cap. XV — O Maior Mandamento — que iniciei ligeiro debate sobre as palavras alma e Espírito, vocábulos

32   *Luiz Gonzaga Pinheiro*

rotineiros em nossa vida espírita.

Meu companheiro Marcílio, leu: "... Amareis o Senhor vosso Deus de todo o vosso coração, de toda a vossa alma e de todo o vosso Espírito".

Então eu interrompi a leitura com um pedido de aparte e argumentei: Não seria, de toda a vossa alma e de todo o vosso entendimento?

— Não, redargüiu meu velho companheiro de estudos.

— Mas o professor Herculano Pires assim traduz o pensamento de Jesus nessa passagem.

— Estou lendo a tradução de Salvador Gentile e não noto nada de anormal nela.

Com a mania de filosofar que me era própria, iniciei o debate após o restante da leitura, citando a cartilha principal, ou seja, "O Livro dos Espíritos" em sua definição de alma e de Espírito. O debate, situação que mais me agradava nas manhãs de domingo, estava aceso como uma vela de aniversário.

— Que é o Espírito? (pergunta 23)

— O princípio inteligente do universo.

Essa resposta não diz muito da natureza íntima do Espírito, mas serve como ponto de partida para inúmeras discussões doutrinárias.

— Que é a alma? (pergunta 134)

— Um Espírito encarnado.

— Que era a alma antes de se unir ao corpo?

— Espírito.

— As almas e os Espíritos são pois identicamente a mesma coisa?

— Sim, as almas não são senão os Espíritos. Antes de se unir ao corpo, a alma é um dos seres inteligentes que povoam o mundo invisível e que revestem temporariamente um envoltório carnal para se purificar e esclarecer.

Compreende-se das duas respostas que alma é a mesma coisa que Espírito, embora na condição limitada de encarnado. Se

Sob a luz de Aldebarã

traduzem a mesma essência por que a redundância? Não seria mais correto interpretar, de todo o vosso coração, como: com toda a vossa emoção, sensibilidade, paixão, ternura...? De todo o vosso Espírito, como: com toda a vossa inteligência, na condição de encarnado ou desencarnado, posto que Espírito e alma traduzem o mesmo pensamento? E de todo o vosso entendimento, como: com todo o vosso intelecto, vossa ciência, filosofia, arte, religião... com todo vosso patrimônio moral e intelectual, enfim? De que adiantaria dizer: de toda vossa alma, se esta não for tomada como sinônimo de Espírito? Não pode um corpo sem Espírito amar a nada ou a ninguém. Portanto, só há sentido na expressão, de toda a vossa alma, quando esta for utilizada como sinônimo de Espírito, e aí temos a redundância clara, sem a beleza e a profundidade da tradução do professor Herculano Pires.

Ora, isso são detalhes, lembrou Eliane, em nada compromete a doutrina.

É verdade que são detalhes, respondi, mas nesse mesmo Evangelho, e apontei para suas mãos, está escrito: Sede perfeitos, como vosso Pai celestial é perfeito. E isso inclui, como dizia Dr. Mário, até o arrumar da gaveta onde guardamos nossos pertences.

Lá fora o sol do Ceará faiscava através do mármore das janelas. Mostrava a perfeição do seu deslocamento pelo azul bordado de algodão. Eu já entendia o caminho do sol, e pensei: amar o sol é amar a Deus com todo o entendimento, ou seja, o que o nosso entendimento alcança deve estar impregnado de Deus, posto que Ele a tudo construiu.

Dogmas

Freqüentando a mocidade espírita aos domingos, não me furtava de assistir as palestras à noite no Centro Espírita. E foi lá que escutei de antigo palestrante espírita, a seguinte defesa em favor da excelência do Espiritismo, doutrina que me fez largar tudo, menos a escola, para dedicar-me integralmente ao seu estudo. Naquele tempo, na velha TV Ceará, Gonzaga Vasconcelos, meu professor na Escola Industrial de Fortaleza, apresentador do programa "Porque Hoje é Sábado" me lançou como compositor, e passei a mostrar o meu trabalho, juntamente com Fagner, Ednardo e Belchior, hoje, excelentes defensores da nossa música.

Mas, o amor pela doutrina, a vontade de ser escritor em vez de compositor, o desejo de saber a origem, o destino, as leis que regem o universo material e espiritual, a correta interpretação evangélica, de conversar com os desencarnados e saber deles tudo quanto me inquietava sobre a dor, a vida, a reencarnação... me fizeram largar o violão.

Afinal, que disse o palestrante?

O Espiritismo é uma doutrina sem dogmas, sem rituais, sem sacerdócio, sem imagens...

Eu nem sabia direito o que era um dogma. E quando não se sabe algo, urge aprendê-lo. Corri então ao dicionário. Lá constava dogma como ponto fundamental de uma doutrina religiosa, com o seguinte lembrete: pode-se discutir um dogma; não, porém negá-lo.

Sob a luz de Aldebarã 35

Se o dicionário está certo, pensei, o palestrante está errado. Aqueles dias de mocidade foram impregnados de intensa busca e discussão. Fui ao palestrante com o conceito de dogma na mão e ele um pouco sem graça argumentou: Eu estava falando das obras básicas. Nenhuma delas afirma a existência de dogma no Espiritismo. Mas, segundo o conceito que eu tenho em mãos, reencarnação, lei de causa e efeito, perispírito são dogmas, insisti. Vamos estudar mais esta questão, finalizou o palestrante, um pouco incomodado com a minha curiosidade.

Vamos estudar mais.... Pois bem! Eu o fiz. Encontrei em "O Livro dos Espíritos", na pergunta 171 a seguinte indagação: — Sobre o que está baseado o dogma da reencarnação? Só esta pergunta de Kardec, que ao fazê-la admitia de antemão a reencarnação como um dogma, bastava para provar que o meu raciocínio estava concorde com o dicionário, mas, fui ao Evangelho. No capítulo XX, "Trabalhadores da Última Hora", Erasto, falando sobre a missão dos espíritas, conclama: ... "ides pregar o dogma novo da reencarnação e da elevação dos Espíritos, segundo o bom ou mau desempenho de suas missões e a maneira por que suportarem as suas provas terrenas".

O assunto estava concluído. O Espiritismo tem dogmas, como toda e qualquer religião. Isso não o faz menor nem menos belo em sua estrutura. Uma doutrina tem que fundamentar-se em seu corpo de verdades, que em essência são semelhantes à VERDADE.

O mundo ainda está dividido em castas e religiões diferentes. Creio que, primeiramente ele se unirá por interesses econômicos (globalização), objetivos corporativistas, tais como a união da Europa, tratados de livre trânsito.... A mesquinharia, seja com que nome se vista, neoliberalismo, neocapitalismo, neoegoísmo... virá primeiro, soterrando milhares de corpos, antes que o senso moral amadureça, unindo o mundo em um só rebanho e um só pastor.

E para isso deverá concorrer de maneira decisiva, o Espiritismo. Ao esclarecer ao homem que a sua felicidade só será possível com a felicidade do seu próximo, o conclama ao exercício das virtudes evangélicas, sob a diretriz da dinâmica caridade. Para essa doutrina luminosa, o campo de atuação maior é a dignificação do ser humano. Ao apresentar uma filosofia otimista centrada em Jesus, o Espiritismo enfatiza a supremacia dos valores espirituais, e ao mesmo tempo luta para que todos tenham direito aos bens decorrentes dos valores materiais, fruto do trabalho, obrigação e regra geral para todos os encarnados com força de exercê-lo. A educação, a saúde, a dignidade, a cidadania enfim, não podem ser negadas a ninguém, por serem condições inerentes à espécie humana. O mundo é a casa de todos, apesar de alguns julgarem ser os donos.

O Espiritismo é a doutrina do amor à vida. Tudo que aspira, defende, humaniza, dignifica e eleva a vida tem a sua marca.

Não vejo diante do exposto, nenhum demérito em se dizer que há dogmas nessa doutrina. Alguém seria capaz de negar a existência do amor? Diante da negativa a esta pergunta, podemos dizer que o amor é o maior de todos os dogmas. Aquele que é capaz de transformar qualquer epitáfio em berço de alegrias. Assim pensava naqueles idos Anos da Mocidade Espírita. Todavia, hoje, quando muita areia já desceu na ampulheta que mede o tempo, entendo melhor esta questão. Quando nas obras de Kardec encontramos a palavra dogma, devemos entendê-la no sentido filosófico de fundamento, de base, de princípio de uma corrente filosófica ou de uma ciência; e não no sentido teológico das religiões tradicionais; de algo que se aceita e se admite sem provas nem discussão.

Estudemos para sermos livres. No dizer de Victor Hugo, grande defensor do Espiritismo, a liberdade começa onde acaba a ignorância. E a vida é bela demais para sermos apenas assistentes encarcerados. Sejamos livres. Sejamos espíritas.

APENAS UM Í A MAIS

Quando escrevi meu primeiro livro, "Terapia das Obsessões", deixei-o em quarentena por largo tempo, desanimado de mostrá-lo a alguém, ou mesmo enviá-lo a alguma editora que o avaliasse. Duas pessoas sabiam de sua existência. Sra. Milena Prado, dirigente do Círculo de Renovação Espiritual e Nádia Gadelha, palestrante e trabalhadora desta mesma casa.

Todavia, continuei escrevendo e pesquisando, sem importar-me se um dia todo aquele material viria a ser aproveitado ou ficaria adormecido em minhas gavetas. Estava me exercitando e aquilo me confortava.

Sempre iniciava o dia, como ainda hoje, com vontade de escrever, e essa parece ser a marca inconfundível de um escritor. Às vezes, passo todo o dia, semanas, ruminando determinado tema, em gestação efervescente, que só sossega quando o desenvolvo em forma de texto. Parece que a preocupação não cessa com o sono físico, pois me surpreendo discutindo com amigos espirituais ou em prateleiras de bibliotecas, aprofundando idéias a serem escritas.

O certo é que, raramente deixo algo inconcluso, superando toda e qualquer dificuldade que me desafie.

Um dia, Divaldo Franco, orador e médium baiano, foi ao Círculo de Renovação Espiritual, a convite da dirigente da casa, e depois de longa palestra, a Sra. Milena lembrou-se do livro e solicitou ao orador levá-lo, emitindo sua opinião a respeito posteriormente.

— Posso levar. Mas, como sou muito ocupado, provavelmente só no prazo de um ano darei uma resposta.

A Sra. Milena aceitou a argumentação do palestrante e este levou o colecionador com as páginas escritas sobre obsessão. No outro dia, para surpresa de todos, Divaldo estava de volta com os originais e a sua apreciação sobre a obra.

—Mas como?! O senhor não disse que levaria um ano para nos dar um retorno? — Foi a pergunta lógica da dirigente.

— É que quando cheguei ao hotel, um Espírito amigo me disse: Você vai ler o livro do rapaz agora! E como era uma ordem eu obedeci.

— Sim, mas o que você achou?

— Doutrinariamente, a obra está perfeita. Creio que qualquer editora poderá interessar-se por ela. Sugiro apenas retirar um i da palavra obisidiado.

Quando cheguei à noite ao Centro Espírita para auxiliar na reunião mediúnica, fiquei sabendo do ocorrido e, curioso, perguntei:

— Qual foi esse Espírito que pediu ao Divaldo para ler a obra?

— O Dr. Bezerra de Menezes, foi a resposta de uma pessoa presente.

Aquele acontecimento aumentou muito a minha responsabilidade. Já andava desconfiado que tinha uma tarefa a cumprir nessa área. Sabia também, pela pressa das mãos e pressão da consciência, que utilizara aquele dom equivocadamente em outra ocasião e que deveria escrever na atualidade como se cada dia fosse o último da minha vida. E assim tem sido. A caneta é minha inseparável companheira e escrever o meu hábito mais constante.

Para tornar-me um aprendiz de escritor tive que renunciar a muitas coisas, dentre as quais aprender a escutar a alma humana em suas alegrias e sofrimentos. Fiz da leitura a minha paixão de vida, e da reflexão, atitude comum do cotidiano. Ocasiões existem

Sob a luz de Aldebarã

onde me reconheço solitário entre as pessoas. Tenho fobia às multidões e adoro o sol como um egípcio o adorava. Visito os lugares mais distantes do planeta sem sair de casa e cultivo roseiras no cimento duro do apartamento. Metade de mim trabalha no mundo e metade se afasta dele à procura do silêncio. Aprendi a conviver com essa dualidade sem estressar-me ou escandalizar os amigos.

Quem dera que o Espiritismo tivesse muitos escritores e que todos amassem o seu ofício acima de qualquer chamamento adocicado. Kardec escreveu até o fim de seus dias, sempre preocupado em deixar a Doutrina Espírita pura e luminosa.

Milhares de anos se passaram sobre a Terra até que o homem aprendesse a escrever. Centenas de anos ainda virão antes que o homem descreva a verdadeira face de Deus. Na verdade, sou consciente de que apenas aprendo a escrever, para um dia ser um escritor espírita. Essa vontade me dominou muito cedo, obrigando-me a selecionar assuntos e priorizar o tempo para exercitá-la.

Sempre que escuto Divaldo Franco em suas palestras, lembro de que ele foi meu primeiro leitor, e que aquele i foi o aviso da imperfeição que ainda me caracteriza. Hoje, passados muitos anos, penso como Antônio Vieira: "O melhor retrato de cada um é aquilo que escreve".

E quando me perguntam: Você não sente falta de ir à praia, ao cinema?

Respondo:

— Por que sentiria? Quem tem caneta, papel e imaginação, tem também a mágica da vida, o dom da criação. E que Deus me conserve a força de nunca deixar essa caneta esvaziar-se nem minha fotografia desbotar-se.

Um encontro com Nietszche

A filosofia sempre me atraiu. As suas constantes reflexões se encaixam em minha pele como se me revestisse a alma desse fogo sagrado que é a busca. Não costumo por isso deixar um livro de filosofia levando poeira, desde que o mesmo esteja ao meu alcance. Logo que entrei na Universidade, quis conhecer a sua biblioteca. Nessa feliz oportunidade, avistei um livro velho que me chamou a atenção pelo título que me pareceu simpático: "Assim Falava Zaratustra", de Nietszche, um homem contraditório e aparentemente a favor da violência e do caos. Pedi emprestado o livro e não o larguei por uma semana. Nietszche nascera a 15 de outubro de 1844, na Prússia. Era portanto contemporâneo de Kardec. Mas, os dois interpretaram inversamente o que seria um "super-homem" e como ele deveria agir frente às necessidades e exigências da sociedade decadente e pobre de ideais, tal como se apresentava a Europa naqueles dias.

Na Alemanha, a Revolução Industrial e o crescente militarismo exigia uma filosofia que os legitimasse, de vez que o Cristianismo lhe era avesso. O culto da "fé na força" em substituição a "força na fé", tomava vigor através da voz de Nietszche, que de audácia em audácia, proclamara a morte do velho Deus e o nascimento de um outro, o super-homem.

Todavia esse excêntrico filósofo, apenas atacava a si mesmo, as qualidades marcantes de sua personalidade, as mesmas que o colocavam em constante conflito com o mundo exterior. Era apenas

Sob a luz de Aldebarã 41

um inadaptado ao mundo, como tantos outros. Alguns, sendo bons em essência e não encontrando substrato para expandir a bondade, muito menos, ressonância em seus iguais, voltam-se contra a própria bondade como se ela fosse um defeito, lamentando não serem maus. Na verdade, aquele que traz a marca do gênio, que supera o senso comum, é sempre um solitário por sua própria condição diferenciada. Não saber administrar isso, implica, muitas vezes, mesclar a marca da genialidade com a revolta e a rebeldia, minando um campo que poderia ser um pomar.

Bem dizia Augusto dos Anjos, em seu famoso poema "Versos íntimos": "O homem que nasce entre feras, sente inevitável necessidade de também ser fera". Sem encontrar respaldo para a aplicação de suas virtudes, alguns homens as deixam adormecidas, quando mais delas necessitam. E isso é ainda um sinal de imaturidade. Portanto, o ataque que o filósofo fez ao Cristianismo foi apenas uma agressão a seus princípios cristãos. Achaques relacionados à bondade e à paz não passavam de revolta por não vê-las generalizadas entre os homens, principalmente naqueles que a pregavam. Mas, apesar de duro na filosofia, Nietszche conservou-se piedoso, puritano e casto, a tal ponto de ser chamado de santo pelo povo de Gênova.

O que faz um homem inadaptado, sem espaço no meio em que vive, decepcionado com o "estilo" de seus irmãos? Grita, acusa, escandaliza, escreve. Pois Nietszche o fez. A sua filosofia, esperava ele, destruiria a moral infecta da Alemanha e prepararia a moral do super-homem. Escolheu para esse novo deus, virtudes tais como virilidade, coragem, iniciativa, bravura, força, determinismo... e por via de conseqüência, atacou as virtudes dos "rebanhos" engendradas em regimes de sujeição política, que tinham a propriedade de domesticar e anular as "virtudes dos heróis" levando os rebanhos à humildade, a uma paz de cemitérios.

Para Nietszche, a moral dos rebanhos buscava a segurança e não o perigo, astúcia em vez da força, piedade onde se exige severidade, açoite da consciência no lugar do orgulho e da honra.

"... Foi a eloquência dos profetas, desde Amós até Jesus, que fez o ponto de vista de uma classe subjugada transformar-se numa ética quase universal. Essa classificação de valores chegou ao máximo com Jesus: para ele todos os homens tinham o mesmo valor e direitos iguais; da sua doutrina surgiu a democracia, o utilitarismo, o socialismo".

O filósofo ataca duramente o Cristianismo quando o acusa de gerar pela exaltação da piedade e do sacrifício de si mesmo, uma decadência social. Para ele, a piedade não passa de um luxo mental paralisante, um desperdício de sentimento pelo irremediável mal feito, pelo incompetente, pelo defeituoso, pelo corrompido, pelo culpavelmente enfermo e pelo irrevogavelmente criminoso. E acrescenta: Há uma certa indelicadeza na piedade: "visitar os doentes" é uma excitação da superioridade na contemplação da debilidade de nosso próximo.

Para este filósofo, a necessidade de poder é instintiva no homem. "O instinto é a mais inteligente de todas as espécies de inteligências até agora descobertas". Assim sendo, os fortes não deveriam bloquear esse desejo sob a justificativa da razão, de vez que ele justifica-se a si mesmo, como essência e diretriz da vontade soberana, situada acima da consciência e da piedade, inacessível ao remorso ou a qualquer outro sentimento melodramático.

"... Os sistemas de moral têm de ser antes de tudo, obrigados a se curvarem diante das graduações de classe. Esse pressuposto tem de ser inculcado nas consciências até que todos compreendam que é imoral dizer: O que é certo para um é certo para os outros. Os valores 'maus' dos fortes são tão necessários numa sociedade, quanto os valores 'bons' dos fracos".

De 1872 a 1888, Nietszche põe combustível na corrompida Europa, o que serviria como argumento a Hittler para seus planos de dominação. Suas idéias sobre o super-homem foram incorporadas pelo ditador alemão, que semeou a morte, seguindo à risca e com excesso de crueldade as idéias de um homem inadaptado, equivocado e puritano. E quão perniciosas foram essas

Sob a luz de Aldebarã   43

idéias.

"Paixões, desejos e vontade referem-se à vida e à expansão de nossa força vital, portanto, não se referem, espontaneamente, ao bem e ao mal, pois estes são uma invenção da moral racionalista".

"Transgredir normas e regras estabelecidas é a verdadeira expressão da liberdade e somente os fortes são capazes dessa ousadia. Para disciplinar e dobrar a vontade dos fortes, a moral racionalista, inventada pelos fracos, transformou a transgressão em falta, culpa e castigo".

"A sociedade governada por fracos hipócritas, impõe aos fortes, modelos éticos que os enfraquecem e os tornem prisioneiros dóceis da hipocrisia da moral vigente".

Com esse modelo ético na mente, Hittler, ao primeiro dia de setembro de 1939 invadiu a Polônia, iniciando a mais cruel e sangrenta guerra que a Humanidade já conhecera.

Na mesma Europa, em França, a luta desenvolvia-se com outras armas, com outro general, com outra filosofia. A Revolução Francesa trouxera um sopro de liberdade, conscientização, e humanização, embora que marcado a fogo pelo grito do terror. Os Espíritos estavam preocupados em trazer ao mundo "O Consolador", e tal como Israel fora escolhida para a vinda de Jesus devido a sua fidelidade ao Deus único, a França foi preferida pela sua condição de cidade-luz, centro da razão, embora um pouco embotada pelos desmandos de alguns e mediocridade de outros. Kardec, partindo do oposto, coloca Jesus como modelo para a humanidade, as conquistas do Espírito como herança maior e põe nas livrarias "O Livro dos Espíritos", cujo livro terceiro, representa expressivo avanço na legislação não oficial do planeta. Com ele, a lei do mais forte representava um tempo já ultrapassado pelo estágio cultural e moral dos habitantes terrenos. Os resquícios remanescentes podiam ser contabilizados por conta da atuação de alguns Espíritos moralmente inferiorizados. Kardec não idealizou a figura de nenhum super-homem, mas apontou o cidadão comum como futuro conquistador, de vez que, através da evolução, de encarnação em encarnação, ele atingiria a superioridade moral exigida para adentrar um mundo superior, onde a justiça reinaria soberana ao lado do amor. Aliás, deixou bem claro, à semelhança de Jesus que, aquele que desejasse ser o maior entre os homens, que fosse o que mais servisse a estes.

Em oposição a Nietszche, Kardec estabelece a harmonia do mundo baseada em leis naturais e as descreve como modelo ideal de convivência e de felicidade para os povos. A Lei Divina ou Natural, a Lei de Adoração, a Lei do Trabalho, de Sociedade, do Progresso, de Igualdade, de Liberdade, de Justiça, de Amor e de Caridade, são regras divinas que o homem tenta abafar, substituindo-as por condições mesquinhas, felizmente transitórias.

Ao final do livro terceiro, Kardec enfatiza a perfeição moral, condição de verdadeiro poder para o Espírito, o único que lhe confere supremacia nos planos celestiais. Através de argumentação segura, estabelece que o mal, parcela inútil que o homem adiciona à natureza e à sociedade, é uma criação deste, quando utiliza de maneira equivocada o seu livre-arbítrio.

Como tudo que é inútil é também necessariamente transformável, o autor da inutilidade volta à cena para os devidos reparos, coagido pela lei de causa e efeito. A reencarnação, nesse contexto, apresenta-se como veículo de aplicação dessa lei, com o objetivo de levar o Espírito à perfeição, fazendo-o também cumprir a sua parte na obra da criação.

Mostra um Deus pai, bondoso e justo, ao contrário do guerreiro parcial e impiedoso. Se Nietszche encarnou o Deus de Moisés, Kardec defendeu o Deus de Jesus. Se para aquele a caridade era sinal de fraqueza, para este a força bruta era a negação da fortaleza. O Espírito forte é aquele que não despreza os fracos, antes, procura ampará-los em suas dores.

Qual é a causa que leva o homem à guerra? Pergunta Kardec aos Espíritos. A resposta enfatiza a supremacia da natureza animal sobre a natureza espiritual como elemento catalisador da barbárie.

Sob a luz de Aldebarã

Nietzsche volveu ao passado para encontrar seu super-homem. Kardec o situa no futuro. A guerra desaparecerá um dia da face da Terra? Quando todos os homens compreenderem a justiça e praticarem a lei de Deus. Essa é a resposta simples e óbvia dos Espíritos. Para o filósofo prussiano o super-homem implantaria no planeta o reinado do orgulho e do egoísmo, para o professor francês, o homem do futuro atacaria esses problemas e através da caridade e da justiça transformaria a Terra no Reino dos Céus. Tomar os reinos pelo amor, era uma lição que Nietzsche aprendera e negara em seus delírios de filósofo.

As idéias de Kardec jamais geraram guerras ou revoluções que não fossem as transformações morais a partir do consentimento da razão e da aprovação cardíaca dos homens. As armas do Espiritismo são as mesmas empunhadas por Jesus, quais sejam, o amor a Deus e ao próximo, exemplificados no esforço de cada dia.

Para Kardec o homem virtuoso não era um super-homem ou um superdotado. Ser amante da paz, defensor da justiça, praticante da caridade, é uma obrigação de todos. Como tornar herói aquele que faz o que lhe compete?

Se alguém na Doutrina se julga um super, um hiper, um "mega-star", falta-lhe a virtude mais preciosa, a humildade, e sobra-lhe a mais corrosiva, o orgulho. Esse alguém é mais adepto de Nietzsche que de Kardec, pois se de um ocioso se espera pouco, muito menos há de se esperar de um orgulhoso.

A filosofia de Nietzsche me impressionou quando eu era jovem e pulava cercas da vizinhança considerando-as como troféus a serem conquistados. Mas Kardec me tirou a insensatez da força pela força e mostrou que nela só há sentido quando lhe revestem a justiça e a caridade.

Se Hittler invadiu a Polônia convicto de que era um super-homem, eu invadi a mim mesmo ciente de que era apenas um homem, e que quanto mais crescesse em virtudes, mais pareceria com um homem. E é isso que tento ser após ter conhecido esses dois professores e filósofos, apenas um homem.

– 2 –
PELOS CIRCOS DA VIDA

Quando todo sentimento é inútil

Aos dezoito anos eu possuía toda a ingenuidade romântica de um adolescente sonhador. Ainda não havia namorado uma única vez, por medo de me ferir ou ferir alguém com a minha inexperiência. Sentia enorme saudade, não sabia de quê ou de quem, como se precisasse resgatar alguém muito amado, naquele instante longe de mim.

Um dia, um amigo me levou a uma festa de aniversário e lá apresentou-me a uma garota, uma loura de cabelos longos, de olhos bonitos e calmos. Fomos apresentados e conversamos apenas alguns instantes, o bastante para me sentir enamorado. Depois fui à sua casa e, um pouco preocupado, verifiquei o desnível social existente entre as nossas famílias. Mas, já conhecia Gibran o bastante para aceitar o seu conselho: Quando o amor chamar, segui-o, embora seus caminhos sejam escarpados.

Então eu segui o amor naquele caminho alcantilado, procurando ouvir suas palavras, e mais ainda, os seus silêncios. Essa velha mania de escutar a verdade através do silêncio das pessoas, já morava comigo. E eu, alpinista sem prática, sem vocação para o teatro, mostrei o rosto tal qual o sol o beijava todas as manhãs. O amor iniciou sua trajetória e ao longo de um mês foi desenhando um gráfico inverso para nós dois. O meu sentimento era crescente e o dela o oposto. Os olhos grandes e

Sob a luz de Aldebará

calmos foram se vestindo de uma indiferença perturbadora, e todos aqueles poemas que eu fazia para entregá-la como pequeno livro, me fez sentir vergonha de ser romântico. Tolice dizer que o social e o econômico não interferem no brilho dos olhos e no carinho das mãos de muitos habitantes da Terra. Que poderia um garoto pobre oferecer a uma menina rica? Certamente, apenas moedas sem valor, tais como o carinho, a poesia, a rebeldia da busca, a inadaptação com o mundo, o amor pela música... coisas que o corpo pode dispensar sem prejuízo, disse-me ela. Fiquei calado, como ainda acontece hoje em muitos dos meus instantes de indignação. Mas, o que dizer? Havia me fixado em seus olhos e ela me mostrara o coração. Amei o que vi procurando salvar o que não via. Contudo, aquele tipo de mundo não me atraia. Aquele brilho capaz de ofuscar os tolos não conseguia me fascinar. E eu fui embora. Curti com pouco sofrimento a minha primeira frustração amorosa. Tive, como diz Dick Farney em velha canção que canta, um caso, uma loura, e a contabilizei como um frasco de perfume que evapora... e não retorna mais como prioridade ou afago para nossas vidas.

Aquele desencontro veio como ensinamento prático dos debates vividos na mocidade espírita. "Há duas espécies de afeições: a do corpo e a da alma. Freqüentemente, as pessoas tomam uma pela outra. A afeição da alma é durável; a do corpo, perecível. Eis porque, freqüentemente, aqueles que crêem se amar, com um amor eterno, se odeiam quando a ilusão termina". (O Livro dos Espíritos — em resposta à pergunta 939)

Certamente passara por aquela comprovação, embora não a odiasse quando a ilusão terminou. Entendi a sua lógica imediatista, o curtir os bens materiais, o desejar uma segurança física, deixando a estabilidade do Espírito para outro tempo.

Passados muitos anos, vi esse episódio repetir-se dezenas de vezes com outras pessoas, como se o objetivo maior da existência fosse a busca e o acúmulo de bens transitórios. Midas

48   Luiz Gonzaga Pinheiro

continua sendo mais admirado que Diógenes e César recebendo mais que Deus nesse conturbado mundo. Algumas pessoas parecem hipnotizadas pelo brilho do ouro, e seus antolhos não lhes permitem ver a luz clara e suave do amor real. Apunhala-se por lentilhas, abandona-se por moedas, tudo é posto a venda no leilão das iniqüidades. E para que isso não parecesse tão assombroso assim, venderam o que de mais puro passou sobre a Terra por trinta moedas. De que vale ganhar o mundo inteiro e perder a sua alma? É a inquietante pergunta que Jesus faz aos adoradores de metais. A Doutrina Espírita, através de "O Livro dos Espíritos", cap. XI — Lei de justiça, amor e caridade e do cap. XII — Perfeição moral, abre extensa clareira no cipoal do materialismo, expondo a cobiça como chaga do Espírito, e como seu antídoto a suavidade balsâmica da caridade. Reafirma a impossibilidade de alguém servir a Deus e a Mamon ao mesmo tempo, lamentando a preferência deste e o esquecimento Daquele. Quando alguém pisa em uma flor, o mundo inteiro fica mais hostil. Quando alguém ajuda a construir um ninho, ajuda a preservar o canto. Mas quando alguém nos despede por nossa carência de metais, então é a alma do mundo que lamenta o desvio da rota natural da evolução.

Um gole mata a sede. Por que o homem quer a fonte inteira para si? Pequena palavra (egoísmo) mas que grandes cadeias constrói no caminho do Espírito. Déspota amado, o egoísmo vem orientando a Humanidade em seu alargamento desde muitas eras. Não foram egoístas todos os dominadores, de César a Bonaparte, de Alexandre a Hitler? O simples fato de querer dominar, subjugar, fazer prevalecer a sua vontade sobre as demais, não demonstra uma atitude egoísta de querer ser o único, o temido, o máximo?

Quando Jesus esteve em frente a Pilatos e revelou ser de um reino de outro mundo, situou bem a distância que separa o egoísmo, dirigente da Terra, da caridade, regente dos céus. Mas Pilatos, representando César, que encarna o egoísmo, que

Sob a luz de Aldebarã   49

caracteriza o Espírito em sua fase equivocada, não entendeu a realeza de Jesus. No mundo, para que alguém seja poderoso, há de trazer metais preciosos. Como aquele estrangeiro poderia ser um rei? Seus valores eram incompreensíveis, sua vestimenta humilde, sequer trazia um selo romano em seus anéis. Aliás trazia os dedos e as mãos limpas. Como recebê-lo com honras de um rei?

O panorama para muitos continua o mesmo. Os que buscam em primeiro lugar o título pomposo, a gravata de seda, o perfume exótico, o tilintar no bolso, dizem sem medo do ridículo que lhes domina, que este é o seu órgão vital e não o coração, agora relegado a simples bomba mecânica. Quais bandeirantes caçadores de esmeraldas, arvoram-se na selva pisando sentimentos, destruindo emoções, retalhando amizades, até descobrirem, às portas da morte, que apenas conseguiram pedras sem valor. São modernos Fernãos Dias, que abdicam do ouro real para o Espírito, as virtudes, confiantes que as turmalinas que perseguem ou que encontraram valem como amuletos para a felicidade.

Longe de admitir que a posse do necessário e a consciência pacificada representam o estado de felicidade relativa que se pode ter por agora neste planeta, direcionam suas aspirações para cofres cada vez mais sofisticados, mas sempre vulneráveis aos ladrões ou à ferrugem.

"Onde está o teu tesouro está também o teu coração". Foi assim que descobri que poucos corações no mundo poderiam me comportar. Quem seria capaz de me ter como um tesouro, desses que se vela no dia e que se cuida na noite? Certamente aquela loura não seria capaz de tal romance.

E foi através de duchas e jatos de água fria sobre o meu romantismo que fui descendo da nuvem cor-de-rosa onde dormia, para sentar-me vigilante às margens do rio que tudo leva, posto que nada de triste ou de perecível me atrai neste vasto mundo.

50

ATROPELAMENTO NA CALÇADA

Logo no início de minha adolescência, em uma tarde-noite quando voltava da escola, encontrei minha mãe em meio do caminho com um sapato na mão. Minha mãe era uma mulher de fibra diamantina e eu já testemunhara muitas vezes a sua bravura em defesa dos filhos. Todavia, naquele instante parecia curvada e todo brilho que ela deixava transparecer nos olhos quando me via chegar da escola com aquela farda cinza, esgotara-se como as folhas no outono. Encontramo-nos na Av. 13 de Maio, ocasião em que me disse: Meu filho! Vieram me dizer que a sua irmã foi atropelada em uma calçada quando voltava da escola. Uma colega dela me trouxe esse sapato e eu sei que pertence a ela.

Minha mãe estava parada olhando detidamente aquele sapato, como a procurar o corpo que o habitara. Observou-me com os olhos que não eram os seus e mandou-me voltar para casa, seguindo avenida a fora, mesmo sabendo que minha irmã não mais se encontrava no local do acidente. Aquela notícia a fizera ficar desnorteada. Creio que ela precisava caminhar, mesmo que fosse para lugar nenhum. Queria tempo e espaço para administrar a dor que sentia e que parece ter sido a maior que ela já suportara, a perda de uma filha.

Naquela noite, ninguém comeu nada. O alvoroço da hora do jantar deu lugar ao silêncio e as lágrimas de minhas irmãs. Minha mãe chegou e parecia piorar a cada instante, como se fosse

Sob a luz de Aldebarã

acordando de um pesadelo para entrar em um pesadelo maior, a realidade. Chorava, olhava as roseiras, pegava o sapato e chorava novamente. Mais tarde, veio a notícia acerca do hospital onde minha irmã se encontrava internada. Ofereci-me para passar a noite com ela, pois minha mãe não suportaria ver uma filha de rosto marcado pelas ferragens de um veículo. Ao chegar ao hospital, deparei-me com um corpo em coma, totalmente irreconhecível. Onde era o nariz afilado, estavam tufos de algodão ensangüentado. Os dentes e maxilares estavam quebrados. Os malares afundados, o frontal com fissuras.... . Da beleza singela de minha irmã, restava a máscara perturbadora da morte.

Senti enorme alívio por ter substituído minha mãe, embora soubesse que ela passaria a noite sem dormir querendo estar no meu lugar. Quando o relógio bateu cinco harmoniosos acordes, o mesmo horário em que nasci, o médico chamou-me e disse: Nada mais resta a fazer. Mas para mim havia, voltar para casa e falar para minha mãe que ela perdera uma filha. E eu o fiz. Minha mãe ficou longo tempo abraçada a minha avó, que já perdera três filhas vitimadas pela tuberculose e penetrara mais fundo nos mistérios da dor e da perda, pois acostumar-se a elas ninguém consegue.

Meu pai ficou pensativo e calado, mas de rosto duro como o aço, uma transformação que a revolta costuma promover na face e no coração dos homens. A partir daquele dia, sempre que passávamos de madrugada pelo local do acidente, ele fazia uma curva na estrada, como a querer varrer da mente aquele episódio que teimava em renascer. Passaram-se muitos anos e minha mãe nunca esqueceu aquela noite, o que bem o demonstrava o cuidado que tinha com os pertences de minha irmã. Igualmente, meu pai manteve a sua promessa de jamais pisar ou olhar para o pedaço de chão em que morrera sua filha, em seus saudáveis quinze anos. E eu continuei vivendo, ora tentando pegar estrelas, ora fugindo delas, naquele malabarismo de quem salta para o trapézio da alegria e, às vezes, cai no tablado da tristeza.

Na época desse acidente, eu já conhecia um pouco da Doutrina Espírita e a morte não me era de todo estranha. Não parecia ser o mesmo para minha mãe, que se deixara curvar, quando antes era altiva em sua verticalidade. Ela desconhecia o recado de Sansão, escrito em "O Evangelho Segundo o Espiritismo", notadamente na passagem que neutraliza a revolta, ao dizer: "Podeis pensar que o Senhor dos mundos queira, por simples capricho, infligir-vos penas cruéis?". Pois esse é o sentimento dominante em muitas mortes prematuras, onde se costuma lamentar a brevidade da vida de quem parte.

A vida ainda é confundida com instantes de permanência na carne, quando, nesse espaço, o Espírito é mais limitado e tolhido que fora dele. Nesses instantes, arranjam-se motivos, transferem-se culpas, acusa-se a terceiros, blasfema-se contra a morte, face metade da vida, e poucos lembram que se cumpre a vontade de Deus. Não a vontade caprichosa, estéril, injustificada. Mas a vontade lei, embasada na evolução do Espírito, fundamentada na justiça e selada pelo amor de quem tudo criou.

"... É uma terrível desgraça, dizeis, que uma vida tão cheia de esperanças seja cortada tão cedo! Mas de que esperanças quereis falar? Das esperanças da Terra, onde aquele que se foi poderia brilhar, fazer sua carreira e sua fortuna?".

Que consoladora é a Doutrina Espírita! Ao conscientizar o Espírito de que ele é imortal, que seus objetivos não se limitam às conquistas materiais, que os que se amam jamais se separam, que esta Terra é campo de luta para o ingresso em terras mais belas, dá-lhe uma resistência inquebrantável.

O amor, para muitos humanos, ainda é a presença no dia a dia, o sentimento de posse, o borbulhar das futilidades, a vigilância estressante para que o outro não lhe escape do domínio. O Espiritismo traz o amor confiança, a fé no futuro, a lucidez que liberta a alma das amarras do egoísmo. Um amor que sobrevive a qualquer tragédia, pois entende que a maior de todas as tragédias é não amar. Alicerçada no amor a Deus e ao próximo, essa Doutrina

Sob a luz de Aldebarã

nos mostra, pois que a sua prática é extremamente fértil em exemplos, que os chamados mortos nos rodeiam, conservam seus sentimentos a nosso respeito, nos inspiram, auxiliam-nos em nossas dificuldades. E quando chega a hora do nosso último suspiro na vestimenta carnal, recebem-nos para novamente escreverem outras páginas de lutas e glórias.

Às vezes me pergunto: O que seria de minha vida sem esta Doutrina? Apenas uma busca incessante para encontrá-la.

A morte nos entrega a chave da vida, quando em vida construímos a chave da morte. Estava pensando nestas coisas em minha rede, pois tudo eu fazia na rede, estudava, almoçava, pensava, quando olhei para o livro que já me tirara dezenas de dúvidas sobre a morte. O livro, principal obra da codificação, ficava sempre exposto no guarda-roupa que já não possuía portas. Quis reler perguntas e respostas alusivas à morte. O que é, qual a sua função, por que minha irmã?

São perguntas simples, e que geralmente o espírita sabe a resposta, mas que a morte de um familiar exige recapitulações e aprofundamentos.

A morte é o esgotamento dos órgãos. Estes, impregnados de fluido vital, não reagem quando esgotados pela velhice ou pela doença. Mas, minha irmã tinha quinze anos. Seus laços perispirituais, ligados molécula a molécula em seu corpo, não foram "desatados" e sim "quebrados" pelo brusco acidente. Com o acontecido, apossou-se a morte do corpo, mas certamente, como acontece em casos tais em que o perispírito se desliga lentamente por deter largas cotas de fluido vital, minha irmã deveria ainda estar no corpo.

Por outro lado, já ouvira relatos sobre Espíritos que, após a morte física, permaneciam junto aos corpos, sofrendo falta de ar, como se estivessem sepultados com o corpo. Tais Espíritos estariam mesmo "desencarnados"?

Uma árvore jovem tem suas raízes entranhadas no solo que as protege. Comecei a pensar que minha irmã havia morrido, mas

ainda não desencarnado, ou seja, poderia ainda estar na carne.
Com o perispírito retido e o seu Espírito em perturbação dolorosa, somente a prece teria alguma lógica para quem quisesse ajudá-la. Em horas tais, quando a dor possui a regência, quem se importa ou é lúcido o bastante para lembrar-se da lógica? Haveria alguma coerência no que eu pensava? Se admitirmos desencarne como saída ou libertação da carne, sim. Para evitar essa confusão, Kardec interpretou acertadamente a morte como um fenômeno biológico, restrito exclusivamente ao corpo físico. Morrer é ter os órgãos esgotados de fluidos vitais. A morte é o fim do ciclo iniciado no nascimento onde a matéria possui a nobre função de ser o templo do Espírito, cessação da atividade do cérebro, carcaça imobilizada na horizontal, sem possibilidades de abrigar o ser que a animava.

O fenômeno morte é restrito à matéria, com repercussão no Espírito. Esta se traduz por uma perturbação breve ou longa, a depender do gênero de morte e das condições do Espírito. A perturbação é uma conseqüência natural de quem entra ou sai da matéria. Ao nascer, segue-nos o esquecimento. Ao morrer, espera-nos o aturdimento. Nos acidentados, nas morte violentas, o Espírito pego desprevenido, se aturde mais que outro, que aguardava o evento. Se ele possui conhecimentos sobre a vida espiritual, estes poderão ajudá-lo na compreensão do transe que vive, apressando-lhe o final. Se tal conhecimento foi praticado, orientado pela ética e pelo amor, tanto melhor, a perturbação mais se apressa em esgotar-se pela própria "desmaterialização" (desapego da matéria) observada no período da encarnação.

Os efeitos da morte sobre o Espírito são atenuados ou agravados a depender das conquistas morais e intelectuais por ele empreendidas. É certo que a morte é uma porta para a vida, mas é também verdade que a vida pode estar cheia de sinais de morte, quando nos negamos a investir nela nossos talentos maiores.

Baseado naquele raciocínio, eu poderia estar certo. A morte

Sob a luz de Aldebarã

é o esgotamento dos fluidos vitais e o desencarne é a saída do Espírito da carne, o que pode ocorrer depois da morte. Minha irmã era na prática uma criança. Nunca tivera um namorado sequer. Era ligada a minha mãe por uma gratidão que não se explica a não ser que se admita outras existências além daquela tão efêmera.

Alguns dias atrás ela cantara no colégio uma música em homenagem à minha mãe e aquilo marcara fundo na alma de ambas. Mas, minha irmã tinha lá seus débitos e os liqüidou com toda a nobreza de sua alma. No dia do meu aniversário ela se comunicou comigo através da psicofonia de uma amiga e disse: Entrei em uma escola muito grande e bonita e vi uma placa na porta de um dos apartamentos. Estava escrito: professor Luiz Gonzaga Pinheiro. Acho que você vai ser professor. E não deu outra.

Hoje as duas, minha mãe e minha irmã, estão novamente juntas no plano espiritual. A primeira, altiva em sua verticalidade e a segunda, forte em sua coragem. Trabalham, estudam, visitam-nos e esperam-nos a mudança.

Na verdade, já conversei com centenas de Espíritos desencarnados e deles obtive os reais sinônimos para a morte. Viagem, mudança, transferência...

Em qualquer lugar do universo, a morte será apenas um passaporte para a vida. E foi isso que minha irmã me pediu dizer à minha mãe, que parecia não entender a grandiosidade da Doutrina que admirava, mas que não estudava.

Aquele atropelamento na calçada comandou as minhas reflexões por muitos dias, dos quais saí mais velho, amadurecido à força, como meu pai fazia com os mamões tirados ainda verdes, apressando-lhes a madureza pelo calor do sol.

Desde então, tenho amado a vida como o mais cantante passarinho.

HANSENIANOS

A mocidade espírita em que eu trabalhava nunca se contentou em apenas debater assuntos doutrinários. Queríamos ir a campo, tecer com nossas mãos o linho da esperança e da compaixão, o mesmo com que o Evangelho nos cobria. Quando se é jovem e espírita, o coração parece não comportar tanto sentimento. Os sonhos utópicos se apoderam do sangue e ele vai impregnando todos os poros de uma pureza que parece desconhecida pela maioria dos adultos. O querer transformar o mundo, salvar a natureza, acabar com a violência, encher a vida de amor, são pontos fortes no ideário do aprendiz espírita.

Mas, em grande número de vezes, o jovem parece um estranho, com dificuldades de entender os estranhos que o cercam. Essa dificuldade tem gênese nas barreiras que encontra diante dos seus sonhos. Ao divisar em seus passos, pedregulhos e hostilidades, o jovem admira-se dos inumeráveis montes, em um mundo que deveria ser plano.

Observa confuso os olhos dos homens e lá encontra barreiras. Procura penetrar em seus corações mas as cercas não o permitem. Olha ao redor, e sente a sensação de ser prisioneiro de paredões que o limitam, e não raro, desiste da luta.

Mas o jovem espírita, convicto da excelência de sua Doutrina, olha sempre para o Alto. Na direção do Alto não há barreiras, só o azul saturado de perfumes e de raios luminosos. A

Sob a luz de Aldebarã

única saída é a entrada, e ele entra no Reino do Céu pelas portas da Terra, trazendo o azul para o vermelho do coração.

Um domingo, quando o dia nasceu com mais ouro que nos demais, a mocidade reuniu-se para sair em visita a hansenianos. Nos alforjes, o Evangelho; no coração, o amor que a tudo cobre, até mesmo as ervas apertadas entre as pedras do caminho.

A Colônia Antônio Justa não era um depósito de doentes. Possuía largo território com verde e flores em seu interior. Em suas habitações muitos hansenianos. A dor, expressão universal dos equívocos humanos, ali também ensinava através de sua pedagogia, as lições de bravura que o Espírito deve obrigatoriamente demonstrar quando é náufrago.

Distribuímos, ao chegar, pastas, sabonetes, doces, sorrisos, passes, preces até que alguns de nós adentraram o ambulatório. Ali, o visitante tem a exata dimensão da gravidade da doença e entende porque, mesmo antes de Jesus, o hanseniano era tratado como um pária, uma aberração maligna da qual era urgente a fuga e o desprezo. Mas Jesus acolhia a todos. Seus olhos compassivos não excluíam nem a beleza nem a putrefação.

Os membros dos hansenianos estavam apodrecendo. Os médicos amputavam dedos, mãos, pés mas a bactéria letal, parecendo invencível, apontava acima, rebentando o tecido flácido. A doença, qual cirurgiã implacável, fazia gangrenar o mais fundo da alma, retirando pedaços, como impiedoso credor, que na ausência de moedas tira a pele. Em estado tal, ninguém gosta de ser observado. O Espírito tem pudor de mostrar-se quando coberto de lama. Alguns escondiam o rosto ulcerado, outros se conservavam silenciosos, e ainda, um que outro transpirava revolta. O odor do apartamento, dos corpos em decomposição, era insuportável. Mas a caridade, essa guardiã da discrição e da simplicidade, aconselhava dar o passe com todos os acordes da misericórdia. E o fazíamos.

Depois, saíamos reflexivos. Que tipo de comportamento alguém pode ter apresentado no passado, para merecer tamanha expiação? Vigilante, a caridade, coordenadora maior da visita, pedia silenciar e concentrar esforços na implantação do ânimo, da esperança, da fé no futuro. E percorria conosco cada apartamento, ora em austeridade, ora sorrindo com nossas criancices.

Vastas populações são esquecidas e alijadas da vida social pela impiedade dos homens, sempre atentos à sensualidade, à vida material, sustentada pelo engodo do capitalismo.

Quando Adam Smith escreveu "A História da Riqueza das Nações", onde defendeu o "livre mercado" e a divisão manufatureira com o seu famoso exemplo da subdivisão de trabalho na fabricação de um alfinete em 18 operações, talvez não tivesse idéia de aonde chegaríamos na atualidade.

As grandes empresas, com a conivência do Estado, levaram à falência as pequenas, mostrando ser a competitividade uma falácia do Capitalismo. Aliás, ao propagar a igualdade de oportunidades, sem mencionar a desigualdade de condições dos indivíduos, este sistema já falta com a verdade em sua origem, tipicamente egoísta. O capital bancário, destinado a empréstimos, convergiu para os investimentos em grandes empresas, concentrando alta margem de lucros, massacrando os pequenos produtores.

Surgem os monopólios. Em várias partes do planeta, o dinheiro adensa volumoso bolo a ser repartido com poucas aves de rapina. Para a tristeza das nações subdesenvolvidas, a socialização da produção formando um mercado mundial, também trouxe a subjugação política, imposta pelos países dominantes.

Quando em 1947 os Estados Unidos criaram o Plano Marshall, e durante 5 anos aplicaram 72 bilhões de dólares na reconstrução da Europa, o objetivo não era outro senão assegurar mercado consumidor para seus produtos. A ajuda dada a qualquer país tem sempre um interesse mesquinho e pegajoso como pano de fundo nos dias avarentos da atualidade.

Quem poderia supor que o homem, partindo da simplicidade

Sob a luz de Aldebarã 59

e da ignorância, atingisse níveis de egoísmo tão refinado, a ponto de esquecer sua origem e destinação? Quem imaginaria o deus capital determinando o comportamento planetário, com a tola pretensão de desafiar o Deus universal? O trabalho é sempre necessário, o egoísmo jamais.

Homens que guardam montanhas de ouro, possuem profundas crateras em seus corações. Quem pode ser livre, voar, visitar hansenianos, preso a uma montanha de ouro? De que vale o ouro diante de um bacilo de Hansen? Como pode alguém admirar as flores se elas não nascem em montanhas de ouro?

Não se pode amar a rua em que nasceu, o bairro, o país, quando se possui "capital sem pátria" que se desloca para onde possa explorar mão de obra barata, sem importar-se com os maus tratos à natureza.

O amor à vida parece construído de pequenas coisas, e nestas, o ouro entra em pequena porcentagem. A mocidade espírita, para mim, não a trocaria por todo o ouro do planeta.

Atualmente apenas 358 bilionários controlam as riquezas do planeta, provocando fome, dor e desespero em milhões de seres humanos. O alimento de que os famintos necessitam é o mesmo que se amontoa na mesa dos "donos do mundo". Milhões de toneladas de alimentos são destruídos para que seus preços não sejam reduzidos, sem piedade das lágrimas das crianças e dos soluços dos adultos.

O hanseniano reparte sua parca comida com outro que não a possui. O homem parece precisar da miséria para aprender a repartir em abundância. A lágrima para o hanseniano não é apenas uma gota de água temperada com o sal da vida. É sinal que o dique das emoções rompeu, e que a partir de então, o deserto pode florescer ou a esperança afogar-se.

O desgraçado que provoca escândalos não vê as lágrimas dos hansenianos, das mães, nem dos trabalhadores. Seria preferível, disse Jesus, que lhe amarrasse uma pedra ao pescoço e o lançasse ao fundo do mar. Em seu agasalho de seda não lembra dos corpos nus no inverno, dos amputados no verão, dos que morrem em plena primavera.

Fascinado pelo ouro, obsidiado pela avareza, elege-se superior e tenta dormir sob o olhar duro da justiça que o observa. Quando surge a morte, despertador dos iludidos e esperança dos injustiçados, os adoradores de ouro enlouquecem em plena lucidez, pois são colocados a frente de algo que não podem comprar, vender, dominar. Depois de muitos anos de intenso sofrimento, resta-lhes a escolha para a reencarnação próxima... Pobreza rude, insanidade, ou talvez a hanseníase. O ouro irresponsável que cobre o corpo é prelúdio de pústulas na consciência. Quem sabe, os abandonados leprosários do planeta, não sejam abrigos daqueles que o abandonam após haver criado ilhas particulares, absolutas, estéreis?

Sem os dedos, que tantas cédulas contaram, as mãos, os amigos, apodrecendo em vida, não desejaria o homem de posse em passado recente, ter uma pedra no pescoço e ser atirado ao mar? O ouro para o Espírito, sem que este lhe dê uma boa destinação, vale tanto quanto areia no deserto.

Por muitas vezes saí do leprosário com estes pensamentos, e voltava calado para minha casa. Afinal, o que dizer diante da dor absoluta?

Asilos

Um dia de verão, decidi reunir a mocidade espírita para visitar um asilo de velhos. Levaríamos um pouco de nossa alegria, de nossa música, de nossa fé. Eu nunca estivera em um asilo antes. Fora acostumado a observar homens livres, que caminhavam, gargalhavam, mesmo com o farol da fortuna a meia luz. Disseram-me para levar uma tesoura de unha e o meu violão. Deveríamos cantar e cortar as unhas dos velhos, de vez que muitos não tinham condições de fazê-lo. Era preciso saber ouvir mais que falar, pois o velho, isolado do mundo, parece querer contar todas as suas histórias, todas as suas mágoas, todas as suas decepções e maus tratos de uma única vez, como se nunca mais fosse ser visitado.

Eu me preparei para a visita, com uma expectativa de ver muitos cabelos brancos pontilhados com a bravura de quem já domara touros e cavalos. Mas o que me aguardava provocou-me tremendo choque emocional. Os velhos se amontoavam como gado. O mau cheiro invadia as nossas narinas qual gás sufocante a nos tirar o fôlego. Velhos com piolhos, unhas negras de sujeira, roupas rotas e sujas, a dor, a dor na sua expressão mais amarga, regia aquela sinfonia miserável. Cegos, amputados, paraplégicos, espectros, antes homens e mulheres saudáveis, haviam sido abandonados pelas famílias, como erva daninha que se extrai do solo e lança fora.

Os gritos de socorro, os pedidos de comida, a revolta

ostensiva e silenciosa, o mutismo rancoroso ali se misturavam em caldeirão digno das descrições de Dante, em sua "Divina Comédia". Fiquei confuso. Que fazia eu com aquele violão naquele espaço onde a música era o caos? Tive vergonha, tristeza, entrei em parafuso levado pelas imagens fortes que observava e chorei muito, para surpresa dos meus amigos. Mas, passado o impacto emocional daquelas cenas, fui me acalmando. Deixei o violão no canto e passei a escutar os velhos. Tudo pediam: sabonetes, fivelas para cabelo, rapadura, biscoitos, roupas, um rádio... ah! um rádio para ouvir músicas e matar o tempo. Sentei na ponta da cama de Mazé, velha magricela e semilouca que tinha fixação por peixe. Queria, antes de morrer, comer uma peixada com bastante sal e cebola, um pirão escaldado desses que enche a barriga e a pessoa passa a tarde bebendo água. Como Mazé não enxergava bem, sempre que alguém se aproximava de sua cama, perguntava: É a Maria? Mas, Maria jamais aparecera naquele chão, último ceitil, choro e ranger de gengivas, pois dentes os velhos não tinham mais.

Eu havia passado no concurso da Base Aérea e breve teria que ir para São José dos Campos (São Paulo) aprender a manejar aviões. Disse então a Mazé: Quando eu ganhar o primeiro salário, mando o dinheiro para você comer essa peixada. Uma semana depois parti em velho avião da Aeronáutica, e um mês depois mandei o dinheiro para que a mocidade fizesse a peixada com aquele pirão que deixa a pessoa bebendo água durante toda a tarde.

Não pude assistir à cena, mas me disseram que ela quase desencarna de tanto comer. Ao pôr do sol, sentava nos bancos do ITA, olhando para os eucaliptos, lembrando daquele quadro depressivo.

Os velhos... lençóis manchados de urina, moscas nas pústulas, mãos lentas, olhos lentos, histórias lentas, tempo lento. Eu estava longe e parecia ter parado ali no asilo. Meu Deus! Que país! Que mundo! Que vida é esta? Quando voltei, Mazé já havia desencarnado. A espada da liberdade havia quebrado suas

Sob a luz de Aldebarã

correntes. Então, eu me recolhi ao Espiritismo, que me lançou à praça de guerra, que me fez guerreiro, que me deu essa fibra inquebrantável, que me deu a justiça como cartilha maior.

Hoje, a situação dos velhos no país não mudou muito. A extensa gama de conhecimentos, experiências, heroísmo, capítulos que deveriam ser tratados com todas as honras, são depositados em mortalhas, e o velho ainda é um apêndice indesejável em muitas sociedades. A grande maioria deles sofre intensa solidão depressiva nos abrigos em que vivem, motivada pela falta de companhia para conversar e partilhar. Alegram-se tanto com as visitas, que parecem sugar a vitalidade que elas representam, querer tocá-las, contar a mesma história repetidas vezes, fazendo-as decorar o instante em que darão aquela risada que já foi mais gostosa.

Quando algum traço fisionômico da visita lembra alguém amado, amor que é só unilateral, então a emoção, onda que ninguém tem o poder de barrar, traz o engasgo, a perplexidade, a lágrima. Lembranças parecem ser o tesouro maior dos velhos, e o abandono, a ferrugem desse tesouro. Todavia, os velhos são solidários em suas atitudes. Josué era tetraplégico e Euclides segurava o pedaço de rapadura para que ele a sugasse.

O homem tem direito ao repouso em sua velhice? Kardec sabia que sim. Mas, queria o aval dos Espíritos para chamar a atenção do mundo para drama tão cruel, já instalado nos asilos de França. Quando Felipe Pinel pediu a St. Just e Couthon condições para melhor tratar os loucos do Bicêtre, ou pelos menos fornecer uma melhor alimentação, teve como resposta: Para quê? Eles não sabem o que estão comendo.

Velhos, loucos, doentes... a sociedade parece esquecer que eles são humanos.Os Espíritos respondem àquela pergunta, que em qualquer aglomeração cristã deveria ser dispensável, da seguinte maneira: "Sim, ele não está obrigado senão segundo suas forças".

Os velhos que eu visitava não tinham mais forças. Alguns

eram tão magrinhos, que iam encurvando como se a cabeça buscasse os pés para um encontro final.

— Mas que recurso tem o velho necessitado de trabalhar para viver e que não pode? Kardec era sensível à velhice. Na França, Charcot dirigia a Salpetrière. Esta tinha uma população de cinco mil pessoas, sendo três mil delas mendigos, neuropatas e epiléticos. O restante era um cortejo de doentes incuráveis, centenas de prostitutas, que já não podiam vender o corpo, posto que a velhice não o permitia. Charcot utilizou essas prostitutas, as histéricas, para desenvolver suas teorias psiquiátricas. A França, cidade-luz, também negava essa luminosidade a seus velhos.

Kardec insiste. Era preciso deixar por escrito a defesa da velhice. O espírita não poderia repetir ou dar prosseguimento a secular agressão àqueles que não tinham forças para a defesa. Em consonância com essa preocupação sintetizam os Espíritos, máximas não de ouro, pois este também se corrompe, mas de vida, pois esta tem seus declives, mas sua destinação é a glória.

— O forte deve trabalhar pelo fraco; na falta da família a sociedade deve tomar-lhe o lugar: é a lei da caridade.

Raciocínio lógico. Impossível ser diferente! Mazé, Euclides, Josué nenhum deles viveu na carne o tempo suficiente para alcançar a aplicação desta lei. Conheceram apenas pequena face desta, a sua expressão mais seca, a esmola. A dura couraça da indiferença pela dor, necessita ainda de apurados desgastes para ouvir o lamento dos desvalidos. O tempo, com seus martelos, ainda deverá deslocar ladeira abaixo muitas montanhas de egoísmo, e o sol queimará a pele enrugada dos velhos por muitos anos, antes que a caridade plena se avizinhe.

Igualmente, o abandono da família, a ingratidão dos filhos (meu Deus! como se pode ter um filho, amá-lo tanto e depois receber em troca o esquecimento e a ingratidão?), lembranças que mais molham os olhos e ressecam o coração dos velhos, espinhos das poucas flores da velhice, ainda mancharão seus lençóis, chinelos e orações por incansáveis domingos.

Sob a luz de Aldebarã

Coisas assim parecem me afastar das pessoas. Fico mais amigo do sol, do vento, fugindo dos aglomerados e das festividades. Tais visitas me guardaram nos livros, me fizeram profundamente reflexivo, viver a velhice antecipadamente e, que paradoxo, com a alma cada vez mais jovem.

O Espiritismo e suas lições me mostraram a velhice como um breve estágio, semelhante ao que a lagarta se fecha em seu casulo para sair borboleta livre e brilhante.

Hoje, não choro mais de choques emocionais quando visito asilos de velhos. Suas histórias me emocionam e dão a certeza de que aquele tempo, o tempo da justiça, inevitavelmente esmagará toda e qualquer atitude hostil à velhice. Quem viver (todos) será testemunha dessa época em que o Espiritismo será o aroma do jardim de muitos homens.

Quanto ao que aprendi nos livros, o conhecimento como fonte de transformação interior, eu o utilizo para mudar a mim mesmo. Para sair do autismo intelectual, divulgo as verdades e as alegrias que o Espiritismo em sua prodigalidade oferta a todos. Eu o utilizo para que as pessoas sejam livres pelo conhecimento da verdade, ideal de Jesus, pelo qual deu sua própria vida. Para que não abandonem seus jovens e muito menos seus velhos; para que sejam fortes e confiantes no futuro; não descreiam do reino que não é deste mundo. Para que as Mazés, Euclides e Josués, tenham peixe e rapadura, e as unhas de tantos outros não sejam fartas apenas em areia e negritude.

Na verdade, a minha maior alegria, e as tenho muitas, é poder testemunhar a excelência dessa doutrina que me faz amar exageradamente a vida, sem temer a visita da morte. Amanheço todos os dias querendo e amando escrever. E quando pergunto a mim mesmo, pelo assunto, meu coração se enche de temas, de cores, de casos, de certeza que as páginas que virão serão de amor e por amor ao Espiritismo.

Noções Erradas Sobre a Divindade

Conversando com velha amiga professora, diálogo enfadonho, pois como funcionária pública falava de seu salário, esta me trouxe embutido entre seus problemas pedagógicos, um outro de cunho religioso, que me espantou pelo conteúdo revelativo que ostentava. Às vezes, uma frase é uma radiografia que desnuda a pessoa sem que esta se dê conta. Mas eu me espantei não pela frase em si, e sim por seu significado ir contra o senso de justiça e demonstrar falta de criticidade e de coerência, munição indispensável a qualquer professor.

Pode-se ter tais atributos, manejá-los em sala de aula, e negá-los na vivência religiosa? Ora, deixe de suspense, dirão vocês, e diga logo que frase é essa. A colega estava angustiada, e ao discutirmos sua problemática, confidenciou-me: Deus dá a sua graça a quem Ele quer. Por isso a companheira estava infeliz, por sentir-se fora dessa graça.

Não sei por que as pessoas que não se sentem à vontade dentro de uma religião continuam em suas fileiras, mesmo discordando de seus postulados.

Argumentei que se Deus semeasse privilégios precisaria entrar em uma escola para educar-se, notadamente na aprendizagem da justiça. Procurei mostrar a imparcialidade das leis divinas, sustentei que Deus não estava interessado em rótulos, mas em obras, e todavia, a mulher estava persuadida de que, quando alguém aceita Jesus, sai de cena esse "negócio" de obras.

Sob a luz de Aldebarã

A simples aceitação de Jesus, e aqui entenda-se a aceitação sem contestação das interpretações do rótulo, apaga qualquer nódoa, pecado, erro cometido, pois a aquiescência traz implícitos o perdão e a graça de Deus. Mas Deus não dá a sua graça a quem Ele quer? E se em algum caso Ele não quiser, indaguei. Não, mas nesse caso Ele nunca se recusa a ofertá-la, foi a resposta. Então por que você está se sentindo órfã, se já aceitou seguir Jesus? Aquela argumentação não desestimulou a mulher e eu segui em frente. Não seria mais justo dar a sua graça a todos ou a quem a merece? Não! A graça de Deus é para quem acredita em Jesus. Mas, e os milhões de budistas, hinduístas, muçulmanos...

— Estão todos fora da graça de Deus!

A mulher já estava me fazendo ficar sem graça e eu quis mudar o assunto. Todavia, a professora voltou à carga. Você sabia, foi o meu pastor quem disse, que o inferno está cheio de espíritas? Então eu "incorporei" velho amigo a quem chamam de língua de navalha e disse: Não! Mas, no último censo que fizeram lá, soube que a maioria era composta de pastores retrógrados e de professoras ingênuas. Foi a vez da professora se espantar e ótimo motivo para voltarmos ao pedagógico.

Aquela conversa sobre Deus ofertar a sua graça a quem Ele queira me deixou pensativo acerca do conceito que muitas pessoas fazem da divindade. A idéia de um Deus vingativo, que tem preferências por países ou religiões, que concede privilégios ou perdões gratuitos, ainda está viva nas cabeças onde o senso crítico está morto. A mania de atribuir ou transferir para Deus, limitações ou atributos anímicos, fase infantil da religião humana, continua sobrevivendo, embora rejeitada por vigorosas parcelas da população.

A miopia de alguns, observa Deus deformadamente, invertendo suas qualidades, apresentando-O como um ser caprichoso e irresponsável. Dar prêmios, aplicar castigos são atitudes lotéricas e de feitores. Deus não poderia descer a essa condição. Ele criou a lei, justa, equânime, que se cumpre em qualquer tempo, qualquer espaço, qualquer Espírito, nas boas ou más atitudes.

Que lei? A lei de causa e efeito, a mesma aludida por Jesus quando sentenciou: A cada um será dado segundo as suas obras; quem com o ferro fere com o ferro será ferido, e outras citações de semelhante teor, esquecidas propositadamente pelo homem que faz suas conquistas a ferro e aço aplicando ferimentos na pele dos indefesos.

Sim, mas quando alguém nasce cego, surdo, deformado, paralítico?

Bem, aí nos encontramos diante de um fato com duas explicações, sendo apenas uma delas verdadeira. A outra é fantasia criada por mentes infantis. Resumamos assim: ou Deus é justo, e neste caso o Espírito merece aquela existência dolorosa, ou é injusto, e está punindo o Espírito por algo que ele não fez.

Será que alguém que nasce com a cegueira pode ser punido pelo mal que seus pais fizeram? Isso negaria as afirmações de Jesus, rebaixando-o a simples mentiroso e iria de encontro a qualquer princípio de justiça, por mais elementar que ele seja. Você leitor, aplicaria um castigo desse gênero em seu filho? Punições ou condenações, transferíveis são invenções que não constam nos imperfeitos códigos humanos. Estariam elas lavradas nos códigos divinos?

Como pode alguém nascer cego por um mal que ainda não fez? Entra em cena nessa resposta o conceito milenar da reencarnação. A vida é uma só. Um todo contínuo onde ora estamos encarnados, ora deixamos o corpo de carne e voltamos à pátria espiritual. Quando nos comprometemos com a lei, gerando graves delitos, ela nos impõe reparações que podem se desdobrar a uma ou várias encarnações, até que o débito seja quitado. A lei nos obriga ao retorno à carne nas condições que nós próprios criamos com os nossos desatinos.

Mas será que Deus não tem pena de ver uma criancinha

Sob a luz de Aldebarã

frágil nascer paralítica, imbecilizada? Voltamos ao ponto de atribuir a Deus comportamentos puramente humanos. Deus é fonte de amor e de justiça. Se tivesse pena do infrator ou lhe desse o perdão gratuito, a fonte de justiça secaria e a de amor estaria poluída pela impunidade que facilmente levaria o universo à desordem.

A graça de Deus é concedida a todos indistintamente. Ela faz nascer o sol sobre justos e injustos. Os milagres da vida, da terra, do mar estão à disposição do fiel e do infiel às leis soberanas. Se um malfeitor põe sementes de trigo na terra, elas nascerão tal qual acontece com o santo lavrador. Se um homicida lança a rede ao mar, desde que haja peixes, ele os recolherá, ocorrendo o mesmo com aquele que defende a vida. As flores do campo nascem para todos e o perfume que espalham não foge ao mau caminheiro que lhes agride.

Tais são as graças divinas. A paz de Espírito, a disciplina, a perseverança no bem, a sabedoria... Essas, Deus não dá nem a todos nem a ninguém em particular. Nós as conquistamos com o nosso esforço, nossa fé, nosso trabalho. Todas essas graças estão a nossa disposição aguardando que as conquistemos com a ajuda e a inspiração que vem de Deus. Quando a Ele recorremos e pedimos força, ânimo, discernimento através da oração sincera para com elas efetuarmos nossas conquistas espirituais, as recebemos.

Mas, em última análise, a graça entendida como condição evolutiva capaz de nos tornar melhores em matéria e Espírito é trabalho nosso. É como cultivar uma extensa gleba. Deus dá a chuva, o sol, o ar, elementos que facultam a fotossíntese para a sobrevivência das plantas mas o lavrador tem que tomar o arado, sulcar a terra, depositar as sementes, proceder a vigilância contra as pragas e ervas daninhas e finalmente recolher a colheita.

Aqueles que esperam graças "de graça" da divindade, também as esperam dos homens, pois em suas cabeças, Deus é apenas um super-homem. Daí o desapontamento e o desânimo que lhes tomam o Espírito quando seus pedidos não recebem pronto atendimento. Esperam colher sem haver semeado e isso na agricultura divina é impossível.

Decepcionam-se com a sua religião, mas não questionam o importante aspecto que não é o rótulo que "salva" e sim as ações de cada um. É sempre mais fácil transferir para fora de si a responsabilidade que primariamente é interior.

A colega professora precisa urgentemente usar o seu senso crítico. Sem ele ficamos na dúvida em identificá-la como mestra se lhe falta o mais elementar diploma, a criticidade.

E ninguém ensina aquilo que ainda não aprendeu.

Introjetando a culpa

Sou de opinião que cada pessoa escolha a sua religião de maneira livre, e a estude, pratique, colaborando para sanear o planeta dos males comuns que nos tornam anti-fraternos. Daí não constar de meus hábitos criticar religiões ou religiosos em sua prática, quando ética, por entender que o único caminho para Deus não é apenas o Espiritismo.

Amar a Deus e ao próximo resume a Lei e os profetas disse-nos Jesus, e isso é, e deveria ser, a essência de todas as religiões. O restante, a ritualística, os aparatos, as teorias, os desdobramentos são meros acessórios, em muitos casos, dispensáveis.

A propósito desse tema, ao desembarcar na rodoviária de um certo município cearense e dirigir-me em companhia de um confrade para a sua casa, tive a surpresa de escutar em plena praça pública, o discurso de um religioso para seus liderados: "Meus irmãos! O demônio chegou a esta cidade hoje! Vamos orar para que ele não nos contamine"...

Fiquei surpreso, quando descobri que o demônio era eu, que viera como convidado para fazer uma palestra espírita. Escutei ainda alguns instantes aquela cena infantil. O orador falava de castigos e culpas, do fogo do inferno e condenações, e pedia que não olhassem para o demônio. A cidade estava dividida entre católicos, protestantes e espíritas, estes em menor número.

Que vamos fazer? Perguntei ao amigo espírita que havia me convidado, diante daquela estranha recepção. Nada! Respondeu

72   Luiz Gonzaga Pinheiro

ele convicto. Tenho lido em seus artigos que devemos ser mansos e pacíficos em qualquer ocasião. E foi a minha vez de argumentar: Sei! Mas, você nunca me ouviu dizer para sermos bestas e omissos diante da agressão.

Ele ficou preocupado com o que eu faria, mas eu o tranqüilizei, dizendo que as melhores respostas estavam no Evangelho e que eu me limitaria a elas. Na pousada onde fiquei, tive que reorganizar a minha palestra, introduzindo nesta apontamentos acerca do sentimento de culpa introjetado no ser humano pela religião mal dirigida.

Concentrei-me um pouco e fui passando pela memória, quantos traumas já havia encontrado, filhos do sentimento de culpa, colocado no coração dos homens por pessoas que utilizavam a religião como fonte de poder e dominação. Interpretações sem fundamento, notadamente na área da sexualidade, no relacionamento familiar, na fixação do destino após a morte, são fontes generosas de medos e neuroses, minando o pouco de alegria que alguém pode ter em planeta ainda tão agressivo.

As religiões deveriam priorizar, ensinar e praticar o amor, a tolerância, a fraternidade, o sentimento paternal de Deus para com toda a criação. Paralelamente, como medida preventiva contra o erro, viriam os ensinamentos acerca dos resgates, quando a lei fosse violada. Se a justiça fosse mostrada como Deus a criou e não como cada um a entende, haveria menos neuróticos sobre a Terra. Talhar comportamentos pela opressão não é um bom método, pelos efeitos colaterais que ele deixa.

Certas religiões destacam o terror, o medo, a condenação, o inferno, a dor sem limites para o infrator. Como essas religiões não explicam a gradação do "pecado", que existem erros intencionais e erros como tentativa de acerto, que Deus julga mais a intenção que o fato em si, que certos tropeços prejudicam apenas a quem os comete e outros a dezenas de pessoas, na cabeça de muitos aprendizes eles se equivalem. Ora, sendo explicado que cada caso é um caso, o que corresponde a diferentes resgates,

Sob a luz de Aldebarã 73

todos proporcionais às faltas, não há margem para que se generalize o pecado e o julgamento, nivelando por cima a condenação. E mais: Crentes de que Deus se ofende com o erro humano, e ofendido revida com a expulsão do paraíso, o exílio eterno em inferno sem volta, muitos se desesperam, alojam o medo e a culpa no coração, no que se sentem inferiores, com necessidade de autopunição, reduzidos em sua auto-estima, tristes, infelizes.

Não deveria a religião concretizar os anseios de paz e plenitude nos homens, em vez de deixá-los nulos, medrosos, enfermos da alma? O sexo tido como pecado, não foi a causa de inúmeras neuroses, culminando com a explosão sexual das últimas décadas, onde tudo parece permitido? O exercício da sexualidade, parágrafo da lei de reprodução, troca de energias psico-físicas sob a supervisão do amor, não deveria ser alvo de estudo, aprofundado e socializado para o leigo, no lugar de simplesmente ser taxado com o rótulo de coisa pecaminosa? Em plena era tecnológica, onde a AIDS derruba a golpe de foice centenas de vidas, sendo o preservativo o único bloqueio material contra a doença, há algum sentido em desaconselhá-lo? Será que alguém pensa ingenuamente que de um minuto para o outro o jovem pode conquistar as virtudes e a maturidade evangélicas relativas a prática sexual, notadamente quando saiu de uma repressão psicológica imposta pela religião?

Eduque-se o jovem para o sexo. Isso é urgente e indispensável, mas paralelamente, use ele o preservativo enquanto tais virtudes não se estabelecem. O ensino da religião, com ênfase no medo e na repressão, faz de Deus um pai rancoroso com preferências pelos filhos "bonzinhos". Além de gerar fanáticos e pseudo-sábios, dissemina a neurose, que se conserva, mesmo após a morte, quando muitos se desesperam com o julgamento final ou se decepcionam por não terem encontrado o céu.

A religião tem a função de ligar o homem a Deus através dos laços do amor, e não, dos grilhões do terror. A conscientização é sempre mais convincente que o terrorismo gerador de rebeldia em alguns e submissão ou subserviência em outros. Por incontáveis vezes já conversei com Espíritos desesperados e tensos com a perspectiva de passar o restante de suas vidas, a eternidade, em meio às chamas do inferno. Quando descobrem que os ensinaram com interpretações equivocadas, revoltam-se contra seus instrutores de outrora, e por outro lado, relaxam por saberem que Deus é Pai amoroso que concede sempre novas oportunidades de reajustes. Compreendem que Deus é verdadeiramente Pai e não padrasto rancoroso, que condena sem direito de defesa.

Não estou defendendo aqui o afrouxamento da ética religiosa, mas o seu fortalecimento através da verdade que liberta. Querer tornar o homem bom e incorruptível através do medo é traumatizar os frágeis e desafiar os rebeldes.

O homem não nasce bom como dizia Rousseau, a menos que tenha conquistado a bondade em existências anteriores. Nasce com tendências a serem trabalhadas pelo meio e pela educação. Antigamente os reinos eram tomados pela força. Mas hoje, eles são tomados pelo amor. Esse pensamento nos foi legado por Jesus há muitos séculos. Pena que muitos dos que se dizem seus seguidores pensem o contrário.

Na verdade o homem só se torna "bom" quando decide sê-lo por conta própria. Quando se convence que a bondade é o caminho mais curto e menos penoso para a felicidade. O medo parece ser o agente menos qualificado para essa missão. Aqueles que, do alto de suas cátedras falam de demônios, condenações eternas, choro e sofrimento sem final, estão caindo em descrédito popular pela simples contradição com o Evangelho que tentam representar.

Que não esqueçam que Jesus colocou o samaritano, considerado herege, como aquele que realmente amou o seu próximo, em detrimento do religioso que passou indiferente ao sofrimento humano. Criticou ostensivamente os fariseus, lembrando-lhes a hipocrisia, quando limpavam os cofres das viúvas, apegando-se ao formalismo material, esquecendo o

Sob a luz de Aldebarã

burilamento do Espírito. Diante das portas do reino se perturbam com suas tolas ilusões e, "não entram nem deixam entrar aqueles que os seguem", observação perfeita de Jesus, para quem se apega ao acessório e relega o essencial.

E foi por aí que comecei a palestra da noite, resgatando o amor que salva no lugar da culpa que marginaliza.

No outro dia o "demônio" foi embora deixando inquietantes pensamentos acerca da liberdade e do amor de Deus. Deixou ainda uma ameaça. Poderia voltar qualquer dia para novas conversas.

COMPETÊNCIA ESPÍRITA

Ao reler textos de Gramsci, sobre a competência, deparei com o seguinte pensamento, o qual se segue, que me levou a demoradas reflexões. "A bondade desarmada, incauta, inexperiente e sem sagacidade nem sequer é bondade, é ingenuidade estulta e apenas provoca desastres."

A primeira pergunta que geralmente se faz diante de uma afirmativa dessa monta é: pode a bondade provocar danos a alguém? Creio que depende do contexto onde a bondade se situe. Dar pão a quem tem fome pode ser bondade como primeira providência. Mas se ela demora muito nesse gesto, pode degenerar em acomodação. A bondade é científica e tem faces mutantes. Saciado o homem, essa virtude se transmuda em ensino profissional, conscientização de classe, formação de cidadania. Lembro que certa vez, assistindo a um programa de televisão, vi um grupo de moradores querendo impedir a ação de bombeiros que precisavam destruir alguns barracos condenados pela falsidade do solo. Os bombeiros praticavam um gesto de bondade, evitando a morte dos habitantes e eram interpretados como desalmados. O olhar do povo estava fixo na casa semi-destruída e que servia de abrigo. Não se detinha no perigo, na fragilidade do solo, que estando vivos os moradores, poderiam batalhar por uma outra terra. Tudo que via era o imediatismo, crente de que Deus seguraria a cabana ladeira abaixo na próxima tempestade. E se Deus não segurasse a cabana? Continuaria bondoso ou seu conceito tomaria outro rumo na cabeça dos moradores?

Sob a luz de Aldebarã 77

Aqui, como em tudo, necessita-se de referenciais para uma definição.

Parece que um referencial para a bondade é o efeito que ela produz, de vez que, segundo Gramsci, ela pode gerar desastres quando mal orientada. Jesus não aceitou o título de bom. Para seus contemporâneos, Ele era tido como bondoso pelos efeitos benéficos que provocava na vida de alguns, e mau, por efeitos desarticuladores que causava nas preocupações mundanas de outros. Tomando a justiça como referencial, Jesus era realmente bom e seus atos, a confirmação da bondade que ele já conquistara. Mas, ao chamar os fariseus de hipócritas e denunciar-lhes os engodos, Jesus praticava a bondade? É sobre referenciais que estamos falando. Para a justiça isso era um ato de bondade. Para a hipocrisia farisaica, uma agressão, uma mentira, um falso testemunho digno da crucificação.

Jesus aconselhava a seus discípulos: Sede mansos como as pombas e prudentes como as serpentes. É urgente portanto, não ser ingênuo, não colocar o pescoço no laço dos oponentes, não dar munição ao inimigo para servir como alvo dessa mesma metralha.

É exatamente nesse ponto que precisamos reestudar o exercício da competência espírita. Em primeiro lugar, o "fora da caridade não há salvação" precisa ser dimensionado dentro das ciências sociais, para não transformar-se em paternalismo ou subserviência. O Espiritismo preceitua que o limite do trabalho para o homem é o limite das suas forças. Se não há trabalho é preciso lutar por ele. Isso exclui a idéia de um Espiritismo despreocupado com as questões sociais e políticas.

A competência espírita passa pela face humana, técnica e política, desde que se entenda por competência o saber fazer bem. A competência humana vê o outro como seu igual. É o amor ao próximo, essência de qualquer religião. A competência técnica exige o estudo metódico e aprofundado da doutrina, seus postulados e fundamentos. A competência política se faz pela correta aplicação da competência técnica e humana, dentro dos variados segmentos da atuação doutrinária. Desnecessário aqui acrescentar que a ética deve nortear a competência, pois não se admite uma religião aética, pela própria definição e objetivo das religiões, quais sejam, religar o homem a Deus. Que fique bem claro nesse texto, que competência política não se relaciona com política partidária e sim com capacidade de articulação, com a arte de administrar conflitos e desagrados, socialização dos benefícios e superação de dificuldades.

O sentido político da competência espírita é gerir a técnica, orientado pela caridade e a justiça, face humana do processo. Vista por esse ângulo, de onde se pode observar qualquer profissional, a competência é algo raro na atividade humana, mas extremamente necessária como elemento propulsor de verticalização.

O exercício espírita exige competência. E não se chega a ela com fobia ao trabalho e ao estudo. Conhecer sua Doutrina é obrigação de qualquer discípulo, e quanto a isso, parece não existir outra saída. O não conhecer tem forte cheiro de acomodação. O não viver os ensinamentos tem o amargo gosto da hipocrisia. Entende-se que a vivência de qualquer virtude evangélica é difícil. Isso deveria servir como motivação para iniciar de já a tentativa, e não, como rotineiramente se faz, o adiamento para séculos futuros.

Diante do estudo doutrinário, as negativas se avolumam fazendo coro com a preguiça, tornando imenso o coral dos ignorantes. É o cansaço, o sono, a dor de cabeça, a letra miúda do livro, o arder nos olhos, desculpismo contínuo que "convence" às vezes, ao próprio preguiçoso, de que tudo aquilo é insuperável. O aprofundamento nas obras básicas da Codificação parece ser o remédio amargo e salvador, ainda recusado por muitos que estão satisfeitos com o desconhecimento.

Sempre questionei essa falta de compromisso com a Doutrina. A rede e a cama exercem profundo fascínio em muitos "aprendizes" do Espiritismo, que alimentam a ingênua ilusão que estudam durante o sono. "Sei que no plano espiritual há escolas e palestrantes. Matriculo-me por lá", disse-me um deles. Escolas

Sob a luz de Aldebarã

79

sérias são feitas para estudantes sérios. Comparecem às boas palestras bons alunos. O que faz alguém pensar que sendo acomodado em vida não o seja na morte? Ou, sendo relapso em vigília, não o seja no sono?

A competência técnica, que tem gênese no estudo doutrinário, matéria-prima para a competência política e solidez para a competência humana, esbarra nos entraves construídos pela falta de hábito para o estudo. Sem hábitos, não surgem as atitudes e posturas, e a competência como um todo continua adormecida pelos soníferos da preguiça mental e da falta de conscientização.

Infelizmente, alguns aprendizes da Doutrina parecem estacionados na fase romântica do deslumbramento, esperando aprendizado sem esforço, competência sem suor, evolução sem luta, colheita sem semeadura. Bênção e luzes são para quem as conquistam. Milhões de mundos felizes há no espaço sem fim. Neles não existem sentinelas para barrar o ingresso dos infelizes ou dos ignorantes. Entra quem conquistou através da competência, a sua indumentária compatível com as condições do meio. Cada Espírito tem o que constrói. Mágica e romantismo não têm lugar na competência espírita. Deus optou pela evolução através da aprendizagem contínua infinito a fora. E nesse detalhe, ninguém aprende por ninguém, havendo a necessidade da construção do conhecimento por parte de cada um. Orientadores não faltam a mostrar caminhos para a aquisição da competência. Mestres que são livros, livros que são mestres, cruzam nossos caminhos a cada jornada. Alguns trazem e mostram apenas uma face da competência e outros se confundem com ela.

Jesus é o paradigma da humanidade. Kardec, um roteiro seguro que aponta para esse referencial. Por esse caminho passa a competência espírita. Fora dele é busca por ele.

Não confundamos pois ingenuidade com bondade, de vez que essa confusão pode alargar-se a ponto de alguém julgar-se possuidor da competência e ter apenas em sua contabilidade a repetência.

E aí é voltar e administrar o prejuízo.

ACOMODAÇÃO E CARMA

Em conversas com amigos de outras religiões, escuto com freqüência, observações equivocadas sobre o Espiritismo, notadamente no que se refere ao carma. Para essas pessoas, o carma seria um forte indutor da acomodação frente à pobreza, às lutas de classe, e até à formação da cidadania, por força de um conformismo exagerado que ele prega, fomentando o imobilismo. Em ocasiões tais, faço a pergunta que embasa a minha argumentação e que deixa o observador desavisado em situação constrangedora: Quantos livros sobre Espiritismo você já leu? E a resposta que inicia a defesa da doutrina que professo e que baixa as orelhas dos detratores que se baseiam no "ouvi dizer", geralmente é: Nenhum! Essa é a resposta que geralmente escuto.

Nota-se que tais observadores confundem Espiritismo com Hinduísmo, Umbanda, Quimbanda, Esoterismo, Astrologia comprando e vendendo idéias a respeito, pelo mesmo preço. Mas, como diz velho amigo de batalhas espíritas, uma coisa é uma coisa e outra coisa é outra coisa.

Essa acomodação ao carma existe na velha Índia, berço de quase todas as religiões, onde prevalece o Hinduísmo. Tal doutrina divide o povo em milhares de castas, aprisionando-o a sua condição atual de nascimento, de vez que dela só poderão sair em futura encarnação. Essa doutrina vem sendo elaborada e aplicada há quatro mil anos, centrada no carma, que atrela o destino do homem à casta a qual pertence. Se ele nasce em uma das 3 mil castas ou

Sob a luz de Aldebarã

em uma das 25 mil subcastas existentes, é porque Deus, agindo em sua justiça, assim o quis; aquele ato de nascimento naquela família, significa para o hinduísta o que ele merece, devendo lá permanecer por toda a presente encarnação. Aquela família, aquele lugar, aquela vida, aquela situação, todo aquele contexto de miséria ou de riqueza, foi o resultado do seu carma. Carma é também dívida, e dívida exige pagamento.

Por esse sistema, as boas ações ajudam na ascensão espiritual, provocando mudanças de pessoas de uma casta para outra, mas, somente em encarnação próxima, e nunca na atual.

Por que será que esse sistema injusto tem durado tanto tempo, resistindo a bravura de Gandhi, ao amor de Buda e ao heroísmo de tantos que tentam modificá-lo? Por um lado é a cultura religiosa do país, que possui artefatos nucleares, lançadores de foguetes e satélites, que constrói porta-aviões, domina a informática e só perde em Ph.Ds. para os Estados Unidos. Por outro lado existe o velho dueto egoísmo-fanatismo, que teima em não deixar os corações humanos. Quem está em uma casta privilegiada não quer deixá-la. Quem está convicto de que só merece a necessidade e a humilhação, submete-se a elas.

A mudança diante dessa postura, recebe o entrave das castas miseráveis, que não se sentem injustiçadas, recusando o poder de pressão que deveria vir de baixo para cima, modificando o quadro de miséria e indigência de muitos. Por outro lado, homens considerados santos, não têm o mínimo interesse em bens materiais, no que são apontados como paradigmas, para que outros também se tornem santos e miseráveis.

Até admira a Índia ser a potência que é, com suas guerras internas entre hinduístas e muçulmanos, e com boa parcela da sua população sendo adepta do budismo, religião que desaconselha a cobiça, apontando o desprendimento dos bens terrenos como uma das maneiras de atingir o nirvana, ou em linguajar simples, estado de felicidade plena.

Todavia, no Espiritismo a situação é bem adversa. Aquilo a

que chamam de carma, (nós espíritas utilizamos mais os termos, lei de causa e efeito) é a mesma lei citada por Jesus, quando enfatizando a excelsitude da justiça disse: "A cada um será dado segundo as suas obras". É portanto, o conjunto de boas e más ações praticadas pelo Espírito, que o credencia a uma situação atual ou futura em consonância com os seus méritos e deméritos. Mas não paramos por aí. O Espiritismo mostra a existência de outras leis. A lei do progresso, a lei de justiça, amor e caridade, que autorizam o Espírito não estacionar no patamar em que se encontra. Através do estudo e do trabalho, pois que cada homem tem o seu livre-arbítrio, ele pode atingir outros estágios de riqueza material e intelectual, sobressaindo-se no meio em que nasceu, e até mesmo deixá-lo, para assumir outros segmentos da sociedade.

Se no Hinduísmo o livre-arbítrio é anulado pela falta de autocrítica das castas, no Espiritismo ele é alavanca para o progresso e evolução. O pensamento espírita não se acomoda na dor, na pobreza ou na ignorância. A exortação do Espírito de Verdade, ao conclamar os espíritas para o amor e a instrução bem demonstra o caráter progressista da doutrina. Aqueles que nos julgam masoquistas, conformistas, alienados ou fanáticos, são apenas desinformados quanto à excelência da doutrina, que aconselha o "progredir sempre" pois tal é a lei.

A interpretação do determinismo, como único norteador de nossa vida, o que lhe dá um caráter fixo a cada ação do Espírito, não tem lugar no Espiritismo. Entendemos que Deus aceita o sorriso do amor no lugar da careta de dor, daqueles que procuram resgatar seus débitos através do trabalho gerador de bens coletivos. Como pai, se teu filho lançasse fora a comida que guardavas para o mendigo, o que farias?

Creio que seria prudente averiguar a intenção dele em primeiro lugar. A comida poderia estar estragada e faria mal a quem a ingerisse. Se praticou o ato por maldade, seria mais proveitoso para todos, aplicar uma surra no peralta ou colocá-lo a fazer ou conseguir a comida esbanjada para outros mendigos?

Sob a luz de Aldebarã 83

Que proveito real traria a aplicação de uma surra? Aí está a diferença. O filho, reconhecendo o erro, pode trabalhar e produzir até mais que o pedido para os deserdados. E não aceitando a moeda do amor, cai no determinismo da dor; mas, repito, por seu livre-arbítrio.

Temos como conclusão que, o uso incorreto do livre-arbítrio leva ao determinismo. Há o que pede a hanseníase e aquele que solicita a mediunidade, para com ela auxiliar centenas de enfermos. Há os que reencarnam com a missão de promover o bem-estar social e escravizam subordinados. Alguém, no lugar de ser um peso para a família e para a sociedade nascendo paraplégico, pode pedir e obter a permissão de nascer sadio e cuidar de paraplégicos. A dor lancinante, às vezes, é a única solução para alguns casos; mas em outros, o amor que redime gera benefícios por onde passa. Queremos dizer com isso, que é mais útil para todos, Espírito envolvido e circunstantes, quando o reencarnante decide por pagar seus débitos com o amor, embora sendo este moeda rara, esteja na maioria da vezes, fora de alcance do senso comum.

Temos como legítima a luta dos povos por liberdade, igualdade perante a lei e fraternidade. O Espiritismo não condena a riqueza nem a pobreza. Aconselha a superação desta e o bom uso daquela, para que a justiça social seja implantada na Terra.

A Doutrina dos Espíritos jamais concordaria com o sistema de castas sociais. Luta pelo bem estar e o progresso dos povos, irmanados em suas necessidades e fraternos em suas abastanças.

Por que todos os homens não são igualmente ricos? pergunta "O Evangelho Segundo o Espiritismo". Porque eles não são igualmente inteligentes, ativos e laboriosos para adquirir, nem sóbrios e previdentes para conservar, é a sua resposta.

Quanto à riqueza intelectual, o mesmo se pode dizer para a aquisição e a sua aplicação. Administrando a problemática vem a lei de causa e efeito, com a sua flexibilidade na maneira de como resgatar o débito. Flexibilidade existe, omissão do pagamento jamais. Discute-se como pagar, pois não pagar está fora dos limites do possível.

Diz Emmanuel, Espírito espírita e escritor: "O bem que fazemos hoje é o nosso advogado a qualquer tempo". Façamos o bem desinteressadamente e a vida se modificará a partir do instante em que o pratiquemos.

Estejamos atentos ao sentido de busca evolutiva. Quem procura acha! E esse recado é especial para os acomodados em seus destinos. Na parábola dos talentos, dois homens dobraram seus patrimônios e um outro permaneceu imobilizado. Esse dinamismo com relação ao que se tem e ao que se é, essa busca pela satisfação das necessidades é inerente ao ser humano. O que é reprovável é o acúmulo, o excesso, o apego, escravizando o Espírito ao reino da matéria.

Fala-se aqui de necessidades reais para o bem viver, e não de exigências que vão além do supérfluo, concentrando demasiada riqueza em pequenas ilhas, rodeadas por oceanos de miséria.

O Espiritismo não induz ninguém ao conformismo ou à passividade. Contrariamente a esse pensamento ele impulsiona para o progresso, sob a inspiração da justiça, guiado pelas mãos da caridade material e moral.

Que descansem suas línguas descuidadas os que interpretam erroneamente o Espiritismo. Utilizem mais o tempo em pesquisar e aprender, para que não estacionem na casta dos ignorantes, que por sinal é enorme nos meios religiosos. Quem sabe, se estudando um pouco a Doutrina dos Espíritos, não venham a conhecer melhor a si próprios?

Afinal, conhecer suas próprias limitações é também uma maneira de libertar-se.

A CANDEIA DEBAIXO DO ALQUEIRE

Aquele que acende pequenina luz deve socializá-la de imediato, retirando da escuridão, outros que aspiram por ela. Assim é a vontade divina, que espalha a luz em todo o universo, sem escolher ou excluir beneficiários.

Mas, na contramão da generosa bondade de Deus está a vontade mesquinha de muitos homens, que se apropriam de pequenos focos de luz e os encobrem com anteparos, retirando-os somente com vantagens a seu favor.

Causa-me imensa estranheza, um país com milhares de doentes não poder fabricar um medicamento que os curem, somente porque não tem condições de pagar a patente do mesmo, espécie de título oficial de uma concessão ou privilégio. O laboratório que possui a tal patente, tem direitos exclusivos sobre a fabricação do medicamento, e sem pagamento, ninguém pode reproduzi-lo. E os doentes? Isso é secundário. Importante mesmo para o fabricante é que o pagamento seja feito a seu favor, para que ele enfim possa retirar a luz de baixo do alqueire.

Aliás, já que se fala tanto em globalização, em intercâmbio cultural e científico, é tempo de os governos retirarem os impostos sobre medicamentos e livros, dando margem a que a saúde e a cultura saiam do topo da pirâmide social, descendo alguns degraus. Muito ganharia com isso corpos enfermos e mentes opacas, pois quando um homem recupera a saúde ou se ilumina pelo saber, cresce a humanidade em igual sentido.

O mesmo vale para a Internet, atualmente a maior fonte de cultura, à disposição somente de quem pode pagar. A elitização da saúde e da cultura é uma das mais fortes demonstrações de luz aprisionada que se conhece, deixando em trevas milhões de Espíritos necessitados. É também vigoroso sinal de inferioridade do planeta, que prioriza o dinheiro e o concentra em poucas mãos, permitindo que a miséria sufoque as aspirações de saber de milhões. E para que os miseráveis se intimidem e façam calar a sua revolta, leis injustas e aparatos repressivos são criados, inibindo as justas reivindicações.

Que coisa mais mesquinha é não se poder reproduzir uma página de um autor para enviá-la a um filho, um amigo, um inimigo, a não ser mediante pagamento? Que egoísmo exagerado é proibir a divulgação e a socialização da beleza, porque existe alguém que lhe retém os direitos autorais? A gravidade assume caráter macroscópico, quando tais proibições ocorrem nos meios religiosos.

Cita Emmanuel, que a maior caridade que se pode fazer à Doutrina Espírita é a sua divulgação. O que dizer de alguém que proíbe esta divulgação, só a permitindo mediante o brilho do reino de Mamom? Certamente se dirá que é a mais evidente demonstração de luz sob o alqueire, e que alguém que assim age, não é, nem conhece o Espiritismo.

Cobram os Espíritos pelas curas que fazem? Exigem remuneração os Espíritos que escrevem? Kardec escreveu " fora dos direitos autorais não há salvação?" Jesus aconselhou vender o que de graça se recebe?

Quando um homem comete um erro por ignorância, tem sempre atenuantes a seu favor. Quando ele erra naquilo em que é ou deveria ser especialista, tem agravantes no seu tormento. O crime do inculto não é o mesmo crime do legislador. Quem deveria ser a sentinela da liberdade não pode jamais aprisionar. O pastor da luz não pode associar-se à penumbra.

Lamentável portanto toda tentativa de obstaculizar a

Sob a luz de Aldebarã

socialização do saber, porque é atitude anti-fraterna, anti-evolutiva e anti-espírita. Sementes para germinar necessitam de luz. O carcereiro da luz é o mesmo matador de sementes. Como Jesus interpretaria a atitude de um matador de sementes? Obviamente lamentaria o seu gesto e lhe diria: Brilhe a tua luz diante do mundo! Todavia, em seu coração Jesus sabe que a relação de proximidade luz-carcereiro é inversa, ou seja, quanto mais o homem nega a luz mais ela se distancia dele. Com a mesma velocidade que a luz parte, 300.000km/s, a sombra também chega para aquele que a expulsa.

No início Deus disse: Faça-se a luz! E a luz se fez. A Doutrina Espírita, luz em forma de postulados, não pode deter-se em observação de quem não se afina com ela. Continua e continuará o seu "fiat lux" para os homens, com os homens, malgrado os homens. Aquele que lhe colocar empecilhos corre o risco de ofuscar-se e marginalizar-se do maior de todos os bens, a luz.

Aqui, como em tudo, lembremos os sábios conselhos do Cristo. "Ninguém, pois, acende uma luzerna e a cobre com alguma vasilha, ou a põe debaixo da cama; põe-na, sim, sobre um candeeiro, para que vejam a luz os que entrem".

Portanto, amigos, não desprezemos a luz, pois pode chegar o dia em que precisemos correr atrás de um simples pirilampo na densa treva da noite.

SUPERDOTADOS E INFRADOTADOS

Um velho problema que a escola, as fábricas e o planeta em geral enfrenta, é como trabalhar com um superdotado em meio àqueles que não conseguem ultrapassar o senso comum. Creio que a questão é mais profunda e deveria ser abordada pelo por quê.

Por que existem superdotados e infradotados? Privilégios divinos? Arrumação casual dos genes e neurônios? Produtos da educação? A ciência e a filosofia se esquivam dessa resposta, não que nunca a tenham buscado em seus caminhos materiais, mas, porque empacou no beco sem saída da reencarnação. Como ciência e religião, fazem traçados diferentes no atual panorama cultural do planeta, apresentam-se como disciplinas estanques, no sentido de uma não invadir ou acumpliciar-se a outra, mostrando-se como forças fragmentadas e sem respostas para centenas de problemas que exigem argumentos e respaldo multidisciplinar. Tal descontinuidade na aprendizagem humana deve-se a incoerência com que é tratado o mundo, departamentado em milhares de correntes, seitas, religiões, ciências, idiomas, leis, filosofias... cada departamento buscando explicações no seu ciclo fechado, sem convencer os demais que não lhes são afins.

A ciência se isola pelo orgulho do seu saber. A religião não se deixa questionar pelo medo de perder a hegemonia que tem sobre as almas, e a filosofia, em meio a esse dilema faz o estilo: nem sim, nem não; muito pelo contrário. Sou a favor do contra.

Todavia, o mundo caminha para a cumplicidade, a transversalidade, em todas as áreas da cultura. Um indivíduo, uma

Sob a luz de Aldebarã

ciência, uma religião ou filosofia, sozinhos, não são mais capazes de equacionar conclusivamente matéria alguma. Se no universo, os sistemas se equilibram por força da interação entre eles, por que isso teria que ser diferente com os seres ou com suas disciplinas? Esse panorama que isola e rotula os conhecimentos em áreas específicas com cada uma delas trabalhando ilhada em seu saber, tem dias contados sobre a Terra.

O Espiritismo, como religião, já nasceu ligado e respaldado pela ciência e pela filosofia. Aliás, essa excelente doutrina tem face tríplice. É ciência, filosofia e religião. Escreve Emmanuel, em "O Consolador": "Podemos tomar o Espiritismo, simbolizado desse modo, como um triângulo de forças espirituais. A ciência e a filosofia vinculam à Terra essa figura simbólica, porém, a religião é o ângulo divino, que a liga ao céu. No seu aspecto científico e filosófico, a doutrina será sempre um campo de investigações humanas, como outros movimentos coletivos, de natureza intelectual, que visam o aperfeiçoamento da humanidade. No aspecto religioso todavia, repousa a sua grandeza divina, por constituir a restauração do Evangelho de Jesus Cristo, estabelecendo a renovação definitiva do homem, para a grandeza do seu futuro espiritual."

Baseado em fatos concretos o Espiritismo não poderia se furtar da investigação científica, do estudo aprofundado e exaustivo pelo qual passou, para receber a comprovação científica por parte dos maiores gênios da ciência. A especulação ou porquês desses mesmos fatos é da competência da filosofia. A transformação moral advinda do estudo e da compreensão desse dueto, ciência-filosofia, lhe completa a solidez doutrinária, contemplando o Espírito com uma doutrina para o céu e para a Terra, ou seja, algo palpável para o seu cotidiano.

É de Kardec, a citação a seguir, escrita em "O Livro dos Espíritos": "A ciência e a religião são as duas alavancas da inteligência humana. Uma revela as leis do mundo material, e a outra as do mundo moral, tendo, no entanto, uma e outra, o mesmo princípio: Deus; razão porque não podem contradizer-se".

Se os homens encontram contradições entre a ciência e a religião, estas existem em suas interpretações tendenciosas, no orgulho do pequeno saber que possuem, na falta de espírito crítico a esse mesmo saber.

Doutrina do homem integral, o Espiritismo teve o batismo de fogo das ciências, nasceu interdisciplinar, resistiu a todos os testes e especulações filosóficas, firmando-se como doutrina de vanguarda, abrindo as portas do além e retirando a máscara da morte. No aspecto religioso adota a moral cristã em sua genuína pureza, despida do formalismo e do dogmatismo humanos, resíduos que lhe impuseram ao longo dos séculos. O seu lema "Fora da Caridade não há Salvação" resume bem o comportamento dos seus adeptos e a sinceridade de seus propósitos. Mas, voltemos ao tema.

O superdotado não poderia jamais ter seus talentos por conta de um privilégio divino. E esse raciocínio é tão claro, que nenhum sofisma, venha de onde vier, será capaz de convencer alguém que Deus ama mais a uns que a outros. Que as religiões não reencarnacionistas se manifestem a respeito, mas, por favor, sem os famosos mistérios, dogmas ou temas inquestionáveis. Em tais assuntos, a discussão, a crítica saudável, o bom senso e a racionalidade são maneiras mais elegantes e inteligentes de se lidar com o problema.

Quanto a afirmação de que os superdotados têm seus dotes por força da arrumação genética ou de neurônios cerebrais aquinhoados, que a ciência explique: o acaso pode reger o destino do ser humano, privilegiando-o ou desgraçando-o? Como podem pais medíocres terem filhos geniais e vice-versa? E mais: Que princípio ético é esse que preside ao nascimento dos seres e que condena alguns ao senso comum ou mesmo à imbecilidade e a outros faz gênios, superdotados?

A genialidade também não é produto da educação. É um problema enfrentado por ela nas escolas de hoje, que não se aparelharam pedagogicamente, não possuem competência técnica ou humana para equacioná-lo. Psicólogos e pedagogos se juntam

Sob a luz de Aldebarã 91

na pergunta: como tratar uma criança superdotada em meio a outras que não se destacam, ou mesmo ante os infradotados de uma mesma classe?

Superdotados e infradotados são uma realidade inegável dentro da sociedade e destacadamente dentro da escola. Como identificar os primeiros?

Eis algumas características:
— Apurado senso crítico
— Destaque na elaboração de sínteses e análises
— Curiosidade aguçada quanto a eventos e conceitos
— Abertos para o novo
— Originais na expressão oral e escrita
— Habilidade ideativa
— Busca de soluções diferentes para um mesmo problema
— Exigência consigo mesmo
— Capacidade para usar o conhecimento e informações procurando associações
— Construção da autonomia
— São questionadores não se ligando muito a regulamentos e normas
— Aborrecimento com a rotina
— Defesa de idéias e projetos inovadores
— Não têm medo de errar

Em suma: são inadaptados com o senso comum.

Sabe-se que um superdotado não possui todas as características acima e que não se pode ser talentoso em tudo. Alguém pode ser um gênio na pintura e péssimo calculista. Mas é fato que nos países desenvolvidos, tais alunos recebem um tratamento diferenciado por parte do sistema educacional. Alemanha, Austrália, Israel, Estados Unidos e outros países, destinam verbas expressivas para que as habilidades dessa clientela mais se aprimorem, no que tem resultado ótimo retorno, sob forma de desenvolvimento científico, tecnológico e social para essas comunidades.

No Brasil, os superdotados da classe pobre, pois

contrariamente ao que pensam os burgueses, eles existem, acabam abandonando a escola por senti-la desmotivante ou porque necessitam ajudar suas famílias em subempregos. Nas fábricas ou supermercados, onde quer que respirem tais adolescentes, são perseguidos ou marginalizados, pois não "perdem a mania" de criticar, inovar ou pensar diferente, de forma inteligente, tornando-se perigosos ao "bem-estar" da empresa.

Na escola, professores não capacitados em lidar com o problema agem semelhantemente. Ao nivelar esse aluno com os demais, o condena a um compasso já ultrapassado que o desgosta e o desmotiva, provocando dentre outras seqüelas, a evasão escolar. Ao ignorar as necessidades especiais e não desenvolver nenhum tipo de trabalho que possa expandir o potencial desse aluno, a escola gera um sentimento de rejeição e de impotência no mesmo, tornando-o em muitos casos, anti-social, revoltado, e em guarda contra o sistema. Inverte-se nesse caso a função da escola, enquanto meio de desenvolver talentos, pois que os recusa trabalhar e até os bloqueia, quando trata os talentosos como problemáticos e perigosos.

Identificando e trabalhando esse aluno, a escola só terá lucros, pois no mínimo, ele poderá auxiliar a professores e colegas de classe com a sua inteligência. Ignorá-lo, marginalizá-lo, é sinal claro de incompetência profissional, de falta de compromisso para com o ser humano e descumprimento da própria constituição, quando afirma em seu capítulo III artigo 208: É garantido o acesso aos níveis mais elevados do ensino, da pesquisa e da criação artística, segundo a capacidade de cada um.

Fechar os olhos à capacidade de alguém é cavar sulcos entre a cultura e a ignorância, para que esta domine aquela com a sua sombra.

Mas, (Ô doutrina paidégua! dizia meu pai, quando alguém trazia a lume um problema da modernidade, já pesquisado e até solucionado pelo Espiritismo) a Doutrina Espírita já aprofundou o por quê dessa problemática. O pedagogo Allan Kardec escreveu em "O Livro dos Espíritos": ... "Não resta dúvida que as almas são iguais ao nascer ou são desiguais. Se são iguais por que as

Sob a luz de Aldebarã

aptidões tão diversas? Dir-se-ia que isso depende do organismo? É então, a doutrina mais monstruosa e mais imoral. O homem não é mais que uma máquina, joguete da matéria, sem responsabilidade dos seus atos, podendo tudo repelir em razão de suas imperfeições físicas. Se elas são desiguais é que Deus as criou assim; mas, então, por que a superioridade inata concedida a algumas? Esta parcialidade está conforme a sua justiça e o amor igual que Ele tem a todas as suas criaturas?

Admitamos, ao contrário, uma sucessão de existências anteriores progressivas e tudo está explicado. Os homens trazem ao nascer, a intuição do que aprenderam antes. Eles são mais ou menos avançados segundo o número de existências que viveram, segundo estejam mais ou menos distantes do ponto de partida; absolutamente como, em uma reunião de indivíduos de todas as idades, cada um terá um desenvolvimento proporcional ao número de anos que tenha vivido".

A problemática do superdotado é portanto explicada e de fácil compreensão segundo a ótica reencarnacionista, ponto inicial para a sua discussão e solução. Não se trata de conceder privilégios, dando margem a que o orgulho aconselhe ao superdotado a falsa posição de superioridade. Mas, aproveitar-lhe o potencial a favor dos demais e facultar-lhe o crescimento a partir do que já atingiu. E isso a escola leiga e a escola espírita podem fazer.

Trabalhando nesse sentido, evitam-se a solidão e a inadaptação do superdotado em meio ao senso comum, por ele já ultrapassado. Entendamos que "tratar os diferentes" de maneira diferente não é conceder-lhes favores imerecidos, mas, princípio de justiça, virtude que deve orientar qualquer sistema educacional.

Quantos não são os aprendizes que superam os mestres? Não é necessário que nos tornemos espíritas para entendermos tão claro raciocínio. É urgente apenas que sejamos racionais. E quando atingirmos tal estágio, superdotados e infradotados serão apenas alunos em estágios diferentes no longo curso da vida.

Nesse dia, difícil será não ser espírita.

94

A VERDADE

Jesus já fora interrogado por Anás acerca dos seus discípulos e da sua doutrina. Dissera que falara abertamente nas sinagogas e nas praças, nada ocultando de si e de sua boa nova. Havia sido esbofeteado por um criado do sumo sacerdote por essa resposta, e seguira manietado a Caifás, para nova audiência. Mas, Caifás, para não contaminar-se, pois era Páscoa, o enviou a Pilatos. Este, preocupado apenas com títulos e honrarias e sobretudo em não perdê-los, indagou: Tu és o Rei dos Judeus? Jesus tenta explicar que seu reino não pertencia ao mundo material, mas Pilatos, homem do mundo, não poderia entender a sutileza de um plano menos palpável. Logo tu és rei? Repete o administrador a pergunta com ar de curiosidade. Tu dizes que eu sou rei. Eu para isso nasci, e para isso vim ao mundo, a fim de dar testemunho da verdade. Todo aquele que é da verdade ouve a minha voz. Foi a resposta do mestre. Então, surpreendentemente, aquele homem íntimo das mentiras e futilidades mundanas perguntou: Que é a verdade?

Jesus silenciou entendendo a inutilidade das palavras naquele momento. Exaltou o silêncio que induz a reflexões e que fala por milhões de palavras em sua discrição e eloqüência. A pergunta de Pilatos todavia, continua a fazer parte da busca e dos questionamentos humanos, mesmo após Jesus haver afirmado ser o Caminho, a Verdade e a Vida.

Na velha Grécia, a preocupação com o conhecimento, ou seja, com a verdade fundamental das coisas, com a essência, com

Sob a luz de Aldebarã

a separação do aparente e ilusório do real e imutável, foi o centro de toda a filosofia.

Heráclito apresentava a natureza como um eterno escoar de acontecimentos a caminho do seu contrário, nada sendo igual no momento seguinte, ao que era no instante anterior. São suas palavras: "Não podemos banhar-nos duas vezes no mesmo rio, porque as águas nunca são as mesmas e nós nunca somos os mesmos". Para esse filósofo, tudo caminhava para o polo oposto de si mesmo, assim como a noite traz o dia, o inverno traz o verão e a vida traz a morte. Nesse contexto, a realidade se baseia na harmonia dos contrários, sendo necessário para isso uma separação entre o que os sentidos percebem e o que o pensamento deduz. Heráclito chama a atenção para a instabilidade mostrada pelo pensamento, em contraste para a estabilidade registrada pela percepção, afirmando como verdade o que o pensamento alcança.

Parmênides, em oposição a Heráclito, fundamentou seu pensamento do seguinte modo: só podemos pensar naquilo que permanece idêntico a si próprio. Coisas que são instáveis, que mudam a cada instante, que são contrárias, mutantes, não podem ser conhecidas, pois conhecer é dominar o idêntico. Se no mundo o quente esfria, o frio se aquece, a água se transforma em vapor e este volve a água, a primavera traz o outono, que passado é primavera, não dá para pensar o instável, que a cada intervalo é contrário a si mesmo. Heráclito e Parmênides faziam a distinção entre pensamento e percepção, mas o segundo afirmava ser o instável impossível de dedução pelo pensamento e que somente o imutável era objeto do pensar.

Demócrito foi mais além em sua intuição científica, ao dizer que tudo na natureza era formado por átomos. Criou então o atomismo. Átomo quer dizer, indivisível, o que não corresponde a realidade atual, onde o átomo já é quebrado para que dele se libere a energia do seu núcleo. Para Demócrito, os seres surgem por arranjos de átomos, transformam-se por novos arranjos e morrem pela desagregação desses arranjos. Para a sua época esse pensamento e essa dedução eram avançadíssimos, pois não fica muito a dever às conclusões modernas.

Ao afirmar que somente o pensamento poderia conhecer os átomos, imperceptíveis à visão comum, Demócrito também estabelecia uma diferença entre o que se percebe pelos sentidos e o que se conhece pelo pensamento, concordando com a opinião dos dois filósofos já citados, mas, atribuindo maior valor à verdade apreendida pelo pensamento.

Em meio a este cenário surgem sofistas de um lado e Sócrates de outro, buscando a verdade por caminhos opostos. Os sofistas concordavam na impossibilidade de conhecermos o Ser, devido à subjetividade de opiniões que temos da realidade. Devido a isso, valorizavam o poder da linguagem como elemento persuasivo para impor as idéias. A verdade para os sofistas era centrada no discurso, razão pela qual colocavam a percepção e o pensamento abaixo da opinião e da persuasão.

Sócrates, preocupado em não desvincular a moral, da filosofia, em estabelecer as diferenças entre conhecimento verdadeiro e ilusão, entre os valores imutáveis e os falsos valores, empenhou todas as suas energias em tornar ético o conhecimento e a sua aplicação, estabelecendo como verdade, a justiça, o amor, o bem situando-se na vanguarda do pensamento cristão.

Com o seu criterioso método "conhece-te a ti mesmo" Sócrates aconselhava para o conhecimento da verdade, o afastamento das ilusões dos sentidos, das palavras e opiniões particulares, para se alcançar a verdade já conquistada por cada um. Acreditando ser o homem uma alma com vivências anteriores ao berço e posteriores ao túmulo, através de sua "maiêutica", arte de partejar, ou seja, multiplicar as perguntas a fim de obter por indução dos casos particulares e concretos um conceito geral do objeto em questão, o filósofo extraía do seu aluno, ensinamentos já registrados em sua mente. Tais ensinamentos poderiam ter sido adquiridos em etapas reencarnatórias passadas, ou mesmo na atual, havendo a necessidade de levar o aprendiz a sucessivas buscas

Sob a luz de Aldebarã

perceptivas, até fazê-lo chegar por si mesmo à conclusão acerca do assunto comentado.

O curioso é que muitas vezes, durante o "parto das idéias", o aluno caía em contradição com seus próprios conceitos de então, reformulando-os, complementando-os e aperfeiçoando-os no final do diálogo. Sócrates tinha a habilidade de levar o aluno à reflexão, de sacudir as suas idéias, de desafiá-lo, extrair dele conceitos que ele próprio julgava desconhecer.

Jesus advertiu: Conhecerás a verdade e ela vos libertará, e Sócrates aconselhou o "Conhece-te a ti mesmo", como caminhos para o entendimento da verdade, guardando-se as proporções evolutivas de cada um. Sem saber quem sou, como sou e por que sou, fica difícil conhecer a intimidade das leis naturais. Se não me entendo enquanto ser pensante na busca da verdade, qualquer "verdade" que encontre, cai no meu não entendimento, tornando-se incompleta em sua essência.

A aquisição da verdade é desse modo, gradativa, conforme o conhecimento que cada um tem de si e das coisas. Acumulando conhecimento, aprimorando idéias, o Espírito se aperfeiçoa, à medida que exercita sua inteligência nos dois planos da vida. À proporção que se conhece, vai entendendo o universo, pois faz parte dele, vai penetrando no pensamento divino, pois nele está inserido.

A verdade não vem em pacotes, é arrancada dos entulhos da ilusão, é garimpada em meio aos enganos da percepção ilusória e dos sentimentos mutantes. A verdade dorme em meio a cipoal e geralmente, para conquistá-la, nos ferimos algumas vezes.

Mas Jesus não conseguiu dizer tudo de quanto necessitava o mundo. E ao partir, prometeu enviar o Espírito de Verdade para complementar a sua missão.

Na sessão de 25 de março de 1856, realizada em casa do Sr. Baudin, o futuro Allan Kardec, posto que assim ainda não se batizara, indaga ao Espírito comunicante que o orienta qual a sua identidade. A resposta não se fez esperar. "Para ti, chamar-me-ei

Verdade". Este, como Jesus, trouxe a boa nova, veio trazer a boa verdade, universal, cristalina, sem os costumeiros partidarismos dos homens. Guia da falange de Espíritos superiores encarregados de trazer o Consolador à Terra, achou por bem chamar-se verdade, virtude que entra e cabe em qualquer templo, religião ou coração que a busque.

Fala da essência, do Espírito, do ser enquanto ser, busca da filosofia iniciada entre os gregos na Antigüidade. Aliás, eles próprios voltaram após demorados estudos no plano espiritual, de vez que Sócrates e Platão foram colaboradores na elaboração da proposta espírita. Abre as portas do mundo espiritual, revelando seus "mistérios". Aplica o golpe de misericórdia na morte eternizando a vida. Revela o criador do universo como inteligência suprema, coloca o Espírito como sua criação imortal, submetido à evolução através das reencarnações, interligadas pela lei de causa e efeito. Confirma a excelsitude de Jesus, apontando-o como guia e modelo para a humanidade fundamentando em seus ensinamentos a essência da nova revelação. Revela aos homens o que o mestre não havia dito, por falta de suporte moral-intelectual na mentalidade da época, antecipando as preocupações e buscas da ciência quanto a vida em outros mundos e ao corpo espiritual. Expõe as leis naturais priorizando a caridade como virtude máxima, regente das ações humanas.

A Doutrina Espírita extinguiu o sobrenatural e o misterioso ao dar explicações naturais aos fatos miraculosos. Definindo a mediunidade como faculdade humana, colocou os médiuns, antes tidos como anormais, no terreno paranormal, estabelecendo o intercâmbio saudável com o além, ao fixar normas e critérios para essa prática.

O Espírito de Verdade, como é de se esperar da verdade, pulverizou mitos e fantasias que pesavam sobre o Espírito, definindo-o como princípio inteligente do universo, conquistador de seus méritos e construtor de suas desgraças, mediante o uso do seu livre-arbítrio. Reduziu a cinzas os conceitos estáticos e

Sob a luz de Aldebarã

alienantes de céu, inferno e purgatório, tratando-os como estados transitórios da alma, em seus êxtases ou tormentos.

O Espiritismo jamais negou a existência de regiões de intenso sofrimento no Além, todavia, sempre enfatizou o seu caráter transitório, proporcional aos deméritos de cada um. O céu para o espírita não é uma região geográfica plena de ociosidade, mas o estado de paz consciencial, de felicidade pelo dever cumprido; o libertar-se das encarnações nos mundos inferiores e adentrar os planos divinos.

A foice que o Espiritismo trouxe atingiu também o perdão gratuito ao infrator das leis naturais, os privilégios de casta, a salvação pelo rótulo religioso, a cadeira cativa para quem se diz infalível, tudo isso ao melhor estilo evangélico, quando diz: a cada um é dado segundo as suas obras. Esse departamento, o de conceder méritos a alguém, é de competência da justiça, definida pela Doutrina Espírita como "respeito aos direitos de cada um".

Portanto, quem tem direitos os receberá, e quem não os tem que trate de conquistá-los. Não sei como se faz em outras instâncias, mas no Espiritismo a máquina da evolução tem muitos vagões e poucos passageiros. Quem traz o suor no rosto e o amor no coração tem sempre um lugar reservado nessa locomotiva. Quem não apresenta essas credenciais fica na estação a espera do próximo trem.

Assim é a verdade espírita, que não é diferente da verdade de Sócrates, de Jesus, dos Espíritos Superiores, seus enviados para libertar as almas pelo conhecimento da verdade.

Todavia, para os não crentes nessa verdade, vale repetir e finalizar o artigo com as palavras de Jesus: "... Para isso vim a este mundo, a fim de dar testemunho da verdade. Todo aquele que é da verdade ouve a minha voz."

Mudança de sexo

Quem estuda está sempre carregando alguma dúvida consigo. Nada mais natural que isso ocorra, de vez que sendo a ciência e o aprendizado do Espírito extensos caminhos, torna-se obrigatório na evolução deste, questionamentos e meditações, à semelhança do garimpeiro que separa de toneladas de cascalhos o diamante que o satisfaz.

E foi pesquisando o tema "mudança de sexo" que cheguei a "O Livro dos Espíritos", a pergunta 202. É o seu conteúdo: "Quando se é Espírito, prefere-se encarnar no corpo de um homem ou de uma mulher?" — Isso pouco importa ao Espírito; ele escolhe segundo as provas que deve suportar.

Kardec acrescenta: Os Espíritos se encarnam homens ou mulheres porque eles não têm sexos. Como devem progredir em tudo, cada sexo, como cada posição social, lhe oferece provas e deveres especiais, além de oportunidade de adquirir experiência. Aquele que fosse sempre homem não saberia senão o que sabem os homens.

Mas, por força do hábito que adquiri de não discordar a priori de tudo quanto me chega ao conhecimento, antes analisando friamente o ensinamento apresentado, como aconselha a Doutrina, passei aos questionamentos rotineiros de contestação. Ora, quando um ensinamento resiste ao debate, à argumentação, à contestação e sai incólume em meio aos "porquês" e aos "e se...", ou seja, é aprovado pelo crivo da razão, dá mostras de ser um bom caminho

Sob a luz de Aldebarã

a ser percorrido.

Ocorre, que a possibilidade de um Espírito sempre encarnando como homem ou como mulher poder chegar ao ponto evolutivo onde não mais seja necessário a condição sexual, nunca fora descartada por mim, justamente porque os argumentos que sempre me apresentaram, foram frágeis demais para uma postura científica.

É preciso encarnar como mulher para aprimorar a ternura, a sensibilidade... A afirmativa machista que ternura e sensibilidade é coisa de mulher não convence o senso crítico de ninguém. Jesus era chamado de meigo e doce Rabi da Galiléia. Que sensibilidade mais apurada que a dos compositores de músicas eruditas? Não foram eles em sua esmagadora maioria homens? E os poetas, pintores?

Tais argumentos podem ser desprezados pela inconsistência. Ternura, meiguice, sensibilidade são atributos do Espírito, e isso ele pode obter na condição de homem ou de mulher. De que o Espírito precisa para a sua evolução? Centralizei a questão nesse raciocínio. Duas asas, segundo Emmanuel. Sabedoria e moral. A primeira é algo que transcende à ciência, a filosofia, as artes e a segunda resume as virtudes, ultrapassando os códigos de ética apresentados pela própria religião, que também evolui em seus ensinamentos.

Então perguntamos: Será que na condição masculina ou feminina, um Espírito assim encarnando, sem alternância de sexo, consegue planar nessas duas asas?

Primeiro admitamos que a escolha do sexo possa ser por opção do Espírito, conforme lhe seja favorável a condição masculina ou feminina na realização de sua tarefa. Tomemos também como certo a encarnação em outro sexo, imposta compulsoriamente nos casos de maus tratos ao sexo oposto, tal como pode acontecer ao tirano doméstico, que agride a fragilidade feminina, humilha, corrompe, abusa de sua condição de homem, frente a quem não lhe pode resistir.

102   *Luiz Gonzaga Pinheiro*

Coloquemos essas duas condições no campo da realidade; a primeira por conta do livre-arbítrio; a segunda atrelada a lei de causa e efeito e pensemos. Mesmo no caso do déspota, o determinismo lhe impõe essa única maneira de quitar seu débito? Parece-me que o arrependido tem opções várias. Da moeda de dor aos cânticos do amor, ele escolhe, conforme tenha condições de pagamento. Existirá uma condição ou situação na Terra, onde o Espírito só aprenda algo na condição de homem ou de mulher?

A maternidade, alguém poderia dizer. Mas, há homens que criam seus filhos sozinhos, que são carinhosos com eles, pais que são mães e que desenvolvem seus sentimentos de amor e proteção aos filhos, como se cuidassem de inestimáveis tesouros. Aqui também, parece ser o "sentimento" paterno ou materno uma mesma coisa, podendo ser conquistado nos dois sexos.

Acredito ser a regra geral o Espírito encarnar alternadamente como homem e como mulher. Mas, parece-me real a **possibilidade** de, pelo menos um, chegar ao final do caminho evolutivo sempre encarnando em um sexo apenas.

Espere aí! Em "O Livro dos Espíritos"...

Calma! Os Espíritos não confirmaram isso. Disseram apenas: Pouco importa; ele escolhe segundo as provas que deve suportar. Kardec é que afirmou em seu comentário a necessidade da alternância de sexo.

Agora o senhor está exagerando. Imagine, ir contra Kardec!

Penso estar fazendo exatamente o que o mestre aconselhou. Questionar os ensinamentos. Se Jesus tivesse encarnado em corpo feminino sua missão teria sido abortada de início. Por isso a resposta dos Espíritos tem como base as provas ou missões que os Espíritos devem suportar ou realizar. O caráter de obrigatoriedade é mencionado por Kardec.

Se o senhor fizer uma pesquisa não vai encontrar uma única opinião que contrarie o comentário do codificador.

Pois já o fiz, e pasmem, encontrei uma que se lhe opõe, justamente a de Léon Denis, o continuador da obra kardequiana.

Sob a luz de Aldebarã

Lê-se em "O Problema do Ser do destino e da dor", pág. 177, segunda parte — O problema do destino. "... Quanto à escolha do sexo, é também a alma que, de antemão, resolve. Pode até variá-lo de uma encarnação para outra por um ato de sua vontade criadora, modificando as condições orgânicas do perispírito. Certos pensadores admitem que a alternação dos sexos é necessária para adquirir virtudes mais especiais, dizem eles, a cada uma das metades do gênero humano; por exemplo, no homem, a vontade, a firmeza, a coragem; na mulher, a ternura, a paciência, a pureza. Cremos de preferência, de acordo com os nossos guias, que a mudança de sexo, sempre possível para o Espírito, é, em princípio, inútil e perigosa. Os Espíritos elevados reprovam-na. É fácil reconhecer, à primeira vista, em volta de nós, as pessoas que numa existência precedente adotaram sexo diferente; são sempre, sob algum ponto de vista, anormais. As viragos, de caráter e gostos varonis, algumas das quais apresentam ainda vestígios dos atributos de outro sexo, por exemplo, barba no mento, são, evidentemente, homens reencarnados. Elas nada têm de estético e sedutor; sucede o mesmo com os homens efeminados, que têm todos os característicos das filhas de Eva e acham-se como transviados na vida. Quando um Espírito se afez a um sexo, é mau para ele sair do que se tornou a sua natureza".

Exageros à parte, Léon Denis também admite a possibilidade de o Espírito permanecer encarnando em apenas um sexo, e mais, afirma ser inútil e perigosa a alternância, pelo efeito complicador que ele produz no comportamento e na aparência física do futuro corpo.

Certamente, depois de dez ou vinte encarnações em um mesmo sexo, o Espírito deve criar condicionamentos relativos ao modo de agir daquele sexo, havendo a necessidade de um descondicionamento, ajuste psicológico, ao novo método de agir ou maneira de comportar-se. Creio que o ponto central da questão se atrela a área psicológica e não ao campo anatômico-fisiológico, de vez, que este é determinado pela carga genética e aquele é fruto de condições intrínsecas do Espírito. É óbvio que por ocasião do reencarne, o reencarnante pode trazer anomalias perispirituais, a modelar o futuro corpo, sob orientação genética.

Assim, em última instância, os arranjos genéticos serão presididos e encaminhados a gerarem esta ou aquela patologia, necessária à evolução daquele Espírito. E a que propósito citamos este detalhe? Para separarmos a questão sexual, desvinculando-a das leis de causa e efeito. Alguém pode nascer homem e mulher por injunções cármicas, mas essa lei fundamentalmente não existe para determinar alternância de sexos entre Espíritos.

Alguém pode encarnar como homem e ser imberbe por força de fatores hormonais, ou na condição de mulher apresentar o seu "bigodinho" sem necessariamente ter encarnado em sexo oposto na romagem terrena próxima passada, ou mesmo por dívidas cármicas. Vincular barbas e atitudes mais delicadas ou varonis ao carma ou à mudança de sexo entre os Espíritos me parece amesquinhar a "essência dessa lei" que é fazer valer a justiça no relacionamento humano.

Portanto, mesmo admitindo que a passagem de um sexo para outro seja perfeitamente lógica e possível, eu não colocaria um ponto final na questão, quanto à possibilidade de o Espírito evoluir através de encarnações em um único sexo. Basta que apenas um consiga esta proeza para invalidar a obrigatoriedade a que muitos atribuem essa alternação.

Teoricamente, não há empecilhos reais e inamovíveis para a existência dessa possibilidade, aliás, defendida por Léon Denis e por seus guias. No momento atual, quando a mulher tem acesso ao campo profissional e intelectual, antes apenas masculino, o raciocínio de Kardec a respeito do tema não tem tanta sustentação quanto em sua época.

Partindo-se do princípio que não existe virtude ou defeito masculino ou feminino, mas espiritual, ou seja, adquirido pelo Espírito, também não se vê a obrigatoriedade de alternância sexual para aquisição de valores.

Sob a luz de Aldebarã

Aprende-se pela observação, pelo estudo, pela vivência...

Quais seriam as virtudes específicas de cada sexo? Continuo não sabendo responder, talvez porque todas elas sejam de ambos. Se alguém me disser que para aprender a criar filhos é necessário nascer mulher, certamente vou lhe perguntar: para aprender a não ser suicida é necessário praticar o suicídio?

Para fechar o assunto, considero-o em aberto, admito a possibilidade de um Espírito evoluir reencarnando apenas como homem ou mulher até que fatos concretos ou sólidos argumentos me provem o contrário.

O GOSTO POR MENSAGENS E ROMANCES

Na pequena livraria do Centro Espírita onde trabalho, e trabalho duro, pois diz a Doutrina que o limite do trabalho é o limite das forças, tem-se pequena amostra da preferência dos leitores espíritas, cuja maioria parece cansada demais para estudar.

Aqui faço a distinção entre estudo e leitura, pois o primeiro requer pesquisa, aprofundamento, debates, e a segunda, uma boa rede para que as letrinhas fiquem gradativamente menores até o sono atacar de vez. O público maior é aquele que adora ler pequenas mensagens. São lindas, dizem. Quanto mais curtas, mais empolgantes.

Se André Luiz ou Emmanuel capricharem mais na extensão da mensagem, ela já não parece tão consoladora. Gosto de mensagens pequenas. Dessas que Jesus disse: "Dai a César o que é de César e a Deus o que é de Deus", ouvi um confrade confidenciar-me em meio a uma palestra. O aprofundamento nesta frase daria para escrever um livro tão volumoso quanto a Bíblia, disse-lhe. Mas, ele rebateu: Por isso não leio a Bíblia.

Após o público das mensagens, segue-se a preferência pelos romances. Quanto maior a semelhança com novelas lacrimosas, mais agradável de ler. Algumas pessoas choram emocionadas envolvidas com o drama apresentado pela leitura, e no final, não há um resumo prático para aplicação no cotidiano. Nada tenho contra romances espíritas, notadamente os escritos por Emmanuel. Mas, o valor literário e doutrinário de alguns não são de alta qualidade, água com açúcar como se diz, investimento cultural sem grandes lucros.

As obras básicas, o aspecto científico e filosófico da Doutrina, a pesquisa séria, os livros que realmente orientam e

Sob a luz de Aldebarã

fornecem base sólida para o domínio do conhecimento são relegados à poeira das prateleiras. Os caçadores de mensagens e de romances parecem alérgicos ao estudo metódico e com intensa fobia ao debate filosófico, político, social, antropológico, sexual... Tudo isso não é ciência? Quando comparecem a um desses grupos de estudos, começam a sentir dor de cabeça, calafrios, ânsias de respirar lá fora, porque assistem ao indigesto. "O amai-vos e instruí-vos" é tratado como lema de outra escola, talvez a dos loucos, que sentem imenso prazer em conhecer a essência das coisas.

Certa feita, depois de participar de um debate sobre as três faces da doutrina, uma senhora me abordou para perguntar: Esse é o primeiro livro espírita que estou lendo; o senhor acha um bom começo? Olhei o livro nas mãos da senhora (Brida) e respondi: Nem esse livro é espírita nem o seu começo foi dos melhores. A mulher tomou um susto. Por que o senhor não gosta desse autor? continuou a mulher o seu interrogatório.

— Minha senhora, qualquer pessoa que afirme fazer chover a qualquer hora, não é um bom escritor.

Aconselhei então a leitura de "O Livro dos Espíritos", obra básica do Espiritismo. Mas, o que fazer, quando livrarias espíritas misturam obras espíritas com obras espiritualistas e até com obras vulgares? Uma livraria pode vender qualquer obra, mas se ela é espírita o assunto muda de figura. Que pelo menos ela separe o livro espírita de um lado e o não espírita de outro. A S.O.S. livros espíritas, uma das estandes que representou o movimento espírita numa Bienal de São Paulo deu péssimo exemplo ao vender indiscriminadamente livros de Paulo Coelho e outros livros esotéricos, sem esclarecer ao visitante a diferença entre o aço e o bagaço. Aliás, é comum no meio espírita considerar-se Ubaldi e Ramatis como autores espíritas, e agora, com a conivência da S.O.S. livros espíritas corremos o risco de trazer para a doutrina a imagem de Paulo Coelho, que de espírita não tem absolutamente nada. Fecho questão sobre ele com uma destacada escritora cearense, Rachel de Queiroz, ao comentar a obra do citado cidadão: "Não sei como ele consegue vender livros. Tentei ler um deles e

108 *Luiz Gonzaga Pinheiro*

não consegui passar da oitava página".

Pelo que se observa, a divulgação doutrinária não vai lá bem das pernas, a começar pela FEB, duramente criticada pela sua posição Roustainguista, sem respaldo portanto para cobrar das demais entidades a pureza e a coerência doutrinárias. Louvem-se as editoras, que através de seus conselhos editoriais, fazem a seleção das obras a editar, tomando como referencial Jesus e Kardec. Que seja valorizada a fidelidade aos fundamentos básicos da doutrina e não aos rendimentos que possam surgir da venda de obras pueris ou fantasiosas.

Atento ao gosto dos caçadores de romances, as editoras os empurram para as livrarias, alguns deles sem consistência doutrinária, e por isso mesmo com zero de contribuição para a evolução do movimento. São os "romances rapadura", pois que atraem pelo açúcar que trazem, alimentando mais a preguiça mental que a sede de aprender. Os leitores de mensagens e romances, geralmente não resistem a uma discussão fundamentada, onde sejam exigidos os princípios básicos e seus desdobramentos, onde a argumentação inteligente, a defesa sólida, a explicação coerente sejam o poema a ser escrito. Para tais alunos, o simples cálculo 2+2 já é contorcionismo mental.

Nas vitrines há romances de todos os tipos, de todas as flores, de todas as dores, como se as flores e as dores fossem ineditismo no mundo. Romances que agradam pelo drama ou pela trama, mas que não sacodem, não desafiam os leitores a se tornarem estudantes. Os grupos de estudos doutrinários são escassos no país. Grupos de aprofundamento, esses são ainda mais raros. Por que será que o conhecimento metódico, seqüenciado, aprofundado, é tão difícil de ser construído? Por que a falta de afinidade com essa construção? Haverá uma outra maneira de ser espírita?

Na verdade, Kardec foi exemplo também nessa postura. Estudou e pesquisou a Doutrina desde que a conheceu até a pulsação final do seu coração indomável. Por isso tinha argumentos para responder a qualquer mistificação ou agressão aos postulados

Sob a luz de Aldebarã

que ajudara a organizar. Isso é que se chama construir sobre a rocha, ou desespero dos detratores, ou ainda, referencial de segurança.

A preocupação de ser instruído na Doutrina é tão importante quanto a de ser caridoso. Aliás, a caridade ingênua e sem sabedoria tem estreitos limites em sua aplicação. Alguns julgam que sendo caridosos, mas sem instrução, Deus irá instruí-los em todos os instantes onde o saber científico ou filosófico for exigido. Será?

O amor não dispensa a instrução. Amai-vos e instruí-vos.

Diante de uma máquina a ser manuseada, uma aula a ser ministrada, uma doença a ser tratada, uma simples semente a ser lançada no solo, há de se conhecer a técnica, o saber fazer, e vou mais além, o saber fazer bem. Pois até no caso da semente, o mais simples, deve-se conhecer a técnica do plantio, a época favorável, o solo adequado, combater as pragas, adubação, colheita....

Aquele que julga tudo poder receber porque tenta ser "bom" é um ingênuo, um romântico no mau sentido, alguém fragilizado e presa fácil de abater por parte da astúcia impiedosa dos mistificadores e embusteiros. Se Deus criou o amor, igualmente é o autor da ciência, das artes, da filosofia e de tudo quanto o Espírito precisa para a sua evolução.

Existirá um planeta superior onde os Espíritos sejam todos caridosos, mas ignorantes? Se existe tal novidade, creio que fugiria dela, pois o viver sem o "querer saber" poucos atrativos teria. O Espiritismo nasceu e estruturou-se na pesquisa. O estudo, o debate, a discussão sadia foram armas indispensáveis na sua Codificação. Estudar é portanto um "estilo" espírita. O estudo forma a competência e o amor a direciona com a bússola da ética. Romances são superficiais. Obras básicas são essenciais. Romance é lazer. Obra básica é saber. Romances analisam vidas e ocasiões específicas. Obras básicas aprofundam o conhecimento generalizado das leis naturais, dos princípios básicos da doutrina.

Podemos ler romances e devemos ler as obras básicas. Estas são mais importantes que aquelas. Todavia, há **romances** e romances. Com o conhecimento adquirido nas obras básicas, selecionemos os primeiros e enterremos os segundos.

CONSIDERAÇÕES SOBRE A COMPREENSÃO E A JUSTIÇA

Em manhã de sábado, programada para estudos pedagógicos, Maria do Socorro, professora da quinta série, me confidenciou a sua dificuldade em disciplinar seus alunos, sendo obrigada a usar dos famosos e ultrapassados testes relâmpagos, para conseguir algum silêncio mesclado de rugidos, miados e algum nervosismo por parte dos alunos, inseguros com a metodologia a que estavam submetidos. As notas estavam a fim de feira, o clima tenso, o prazer de ensinar e aprender em surf no Havaí.

— Que tal suspender os testes relâmpagos? — Perguntei.

— Mas é a minha única arma — argumentou Socorro.

— Sua melhor arma é a sua competência — ponderei. E passamos ao estudo do comportamento da mente de quem recebe um ensinamento pela primeira vez, procurando colocar-nos na cadeira e no estágio do aluno. Para melhor entender o frenesi turbilhonante que é a introdução de um ensinamento novo no corpo de pensamentos já assentados na mente de qualquer aprendiz, só mesmo incorporando o seu drama. Assim poderemos avaliar conseqüentemente a revolução que ele causa em seus movimentos de contato, ajuste e acomodação.

Para efeito didático, dividimos o processo em três estágios, objetivando solidez no entendimento para posterior aplicação prática.

Sob a luz de Aldebarã

1. A busca de pontos de contato.

Ocupando a mente de qualquer aluno, existem milhares de informações e eventos colhidos no dia a dia. Todo esse material se agrupa segundo referenciais já existentes, posto que a vida de relação para o ser humano inicia-se no período uterino, ocasião em que o aprendizado vai se organizando, de maneira que, informações estanques se localizam no fundo do arquivo e informações com encaixes se sobressaem ocupando a superfície.

Quanto mais pontos de contato tem uma informação nova com outras já arquivadas na mente, mais fácil é o entendimento, mais forte a gravação. Informações estanques constituem o arquivo morto, que pode ressuscitar, caso haja contato ou encaixe para elas. Basta que uma informação nova se apresente e eis o computador mental a rastrear e comparar semelhanças, afinidades, ajustes, até que, ao localizar o encaixe, resgata do fundo do porão aquele informe, fazendo-o vir à tona e ocupar novo lugar no arquivo.

Isso ocorre quando o professor lança uma informação nova para o aluno e esta o motiva, ou seja, a considera importante para a sua vida, na sua faixa etária, e não, vida futura, cheia de rigidez, responsabilidade e maturidade, que ele ainda não atingiu. Inicia-se então em sua mente, todo um processo de busca ou rastreamento, visando encontrar uma semelhança ou encaixe, para que o novo ensinamento se acomode no fichário já existente.

Nesse instante de desorganização sob controle, é necessário um tempo para localizar pontos de contato, tal qual as enzimas o fazem nas cadeias moleculares ou as crianças com os puzzles com os quais se divertem. É uma fase de intensa busca onde o navegante procura faróis, estrelas, montes... até que possa surgir o vibrante "terra à vista!". Nesse instante, rico em interrogações e ansiedades, o professor não deve fazer uma avaliação com seu aluno, devido a desarrumação momentânea de seus arquivos mentais, causada pela nova informação.

Ele ainda não está apto a dizer o que sabe, mesmo porque, quanto mais distante o contato ou o encaixe estiver, falo de tempo, mais tempo ele precisará para a reorganização do seu arquivo. Qualquer avaliação nesse momento, refletirá geralmente essa turvação, com conseqüente nota baixa, o que não quer dizer em absoluto, que ele não ultrapasse esse estágio de desorganização organizada. Aqui o professor obtém apenas o diagnóstico momentâneo do turbilhão efervescente de idéias.

2. Reorganização do campo mental

Localizados os contatos, procedidos os encaixes, inicia-se o período de reorganização do campo mental, onde a nova informação já processada faculta ao aluno fazer comparações, combinações de elementos, descobertas súbitas através da associação do novo, com conhecimentos já organizados.

O aluno vislumbra o caminho e começa a percorrê-lo, e quando se percorre caminhos novos precisa-se de um tempo para detalhes, pois os atalhos e paisagens em seus aspectos originais, ainda não foram investigados. Por outro lado, o deslumbramento ainda não permitiu a calma necessária da percepção do conjunto.

É um momento de vida, de fortalecimento da auto-estima, onde o aluno sente-se capaz, vitalizado em sua confiança, na sua capacidade de realização e superação. Invade-lhe um indefinível sentimento de bravura, de coragem, que traz o ânimo para novos embates. Mas, ainda não é chegado o momento para avaliações. O lago se acalma. As ondulações estão se desfazendo. Mais um pouco e a água refletirá como um espelho a quietude dinâmica do sistema, como ato que se segue ao acolhimento e à acomodação da pedra (idéia) nele lançada.

3. Preenchimento das lacunas no processo intuitivo.

Ao manifestar o que descobre, o aluno possibilita a que o

Sob a luz de Aldebarã 113

professor obtenha uma radiografia do seu estágio de conhecimento no processo de assimilação a ele proposto. Com isso, ele está apto a preencher as lacunas existentes no campo do conhecimento em construção, solidificando e completando o conjunto de idéias que compõem o novo ensinamento.

Importantíssimo nesse estágio do processo é a cumplicidade do professor, apoiando o aluno em suas dificuldades, evitando a morte do desejo de aprender, hálito vital de qualquer processo de descobrimento. Fechado o círculo perceptivo, dominada a idéia globalizante, o aluno tem a segurança necessária para verbalizar o ensinamento recebido, que é em última instância, o resultado dos encaixes ou referenciais buscados, adicionados ao esforço do professor na terraplanagem das depressões intelectuais comuns a quem aprende. Quando isso ocorre, a culminância do processo de absorção de um conhecimento novo, o educador pode fazer a sua avaliação, que certamente refletirá como o ensinamento ajustou-se aos arquivos mentais do educando.

Mas, por que tantas voltas para falar de compreensão e de justiça? Responderei no final do artigo a esta pergunta.

Não resta a menor dúvida quanto à falta de credibilidade na justiça terrena, cuja venda nos olhos a impede de exercitar seus próprios atributos. Orientada, às vezes, por leis dúbias, deixando-se influenciar por atenuantes e agravantes forjados, demonstrando profunda tolerância na aceitação de influências palacianas e generosa benevolência para com os títulos e honrarias mundanos, tem sido muitas vezes rejeitada nas contendas que deveria orientar, para entrar em cena o imediatismo do "olho por olho", cujo resultado visível e imediato, mas nem sempre justo, agrada mais ao "injustiçado".

No estágio moral em que se encontra a Humanidade, onde o orgulho e o egoísmo instalados confortavelmente no eu da maioria de seus integrantes administrando com eles suas decisões, parece não haver espaço para a manifestação da justiça espontânea, aquela que prescreve o respeito aos direitos de cada um. Isso aumenta a descrença, diminui a fé e incentiva à rebeldia. Juízes em causa própria se avolumam na sociedade, desconfiados de que a justiça morosa e injusta lhes roubem a ocasião de serem contemplados com os direitos naturais, de alguma maneira violados por usurpadores.

A justiça precisa ser justa e rápida. Não tão rápida a ponto de atropelar a busca e a análise dos fatos que definem a clareza da situação em foco, mas não tão lenta que faça caducar esses mesmos eventos que são a razão do julgamento.

Na obsessão comum, o obsessor ávido de vingança e não de justiça, igualmente reclama da lentidão da justiça divina, que não cobra de imediato e na mesma moeda, o "mal" que alguém lhe causou. Paralisado na idéia da vingança, não se interessa em saber as causas que determinaram seu sofrimento, prolongado pela insensatez que demonstra ao cultivar os planos de vindita. Se estivesse realmente interessado na justiça, confiaria em Deus, justiça por excelência.

Argumento, geralmente, nesses casos com a seguinte proposição: diante de um sofrimento que nos angustia, humilha e nos tira a possibilidade de entender a dor que nos dilacera a alma, parece que nos situamos na seguinte encruzilhada: ou Deus é injusto, permitindo-nos uma dor que não nos pertence ou merecemos a situação que atravessamos. Como Deus não pode ser injusto, resta-nos admitir que apenas resgatamos dívidas que contraímos.

É ainda fator positivo para superar a provação, a certeza que Deus não coloca fardos de chumbo em ombros de geléia, o que nos autoriza manipular reservas de forças e de vontade para superar o embaraço em que nos encontramos. Este é o instante da nossa avaliação. E como sabemos, a avaliação não se esgota em si. É apenas um diagnóstico para determinar o que fazer no passo seguinte, ou seja, se é necessário repetir a lição ou introduzir o início de uma outra.

Costuma-se dizer que Deus não usa o chicote, mas o tempo.

Sob a luz de Aldebarã 115

O criador espera que a criatura, diante de um tropeço qualquer, entenda por seus próprios recursos que a injustiça e a maldade nunca geram vantagens ou lucros na economia da evolução.

Sócrates dizia ser a injustiça o segundo maior mal, pois o primeiro era escapar ao ajuste de contas imediato com a justiça, de vez que é impossível para alguém cometer uma injustiça sem sofrer na pele as conseqüências do ato praticado. Ora, o pensamento de Sócrates, que defendia a retórica como guardiã da justiça, refletia a maturidade adquirida pela compreensão do mecanismo divino no tocante à justiça.

O Espírito, diante da dor, precisa posicionar-se criticamente para não embrutecer, e obter dela as respostas às lições que recebe. Diante de qualquer ensino, o aprendiz necessita colocar-se em posição de alerta e receptividade, buscando resgatar da memória pontos de contato ou encaixes com a situação que ora atravessa.

Ao reorganizar o campo mental alterado pela intromissão de um desafio novo, preenchidas as intuições, encontrados os encaixes das buscas que empreende, surge a compreensão, momento iluminado da aprendizagem. O percurso desse processo, de duração desigual para cada Espírito, é o que capacita a entender e aceitar a "lentidão" da justiça divina, que não viola o livre-arbítrio (até certo ponto) fazendo a evolução parecer inexistente em determinado espaço de tempo, berço-túmulo, por exemplo.

Ninguém chega ao entendimento sem passar pela busca, meditação e preenchimento das intuições acerca do que procura. Se o homem comum admite ser a justiça divina ineficiente, é por faltar-lhe a compreensão acerca do aquém e do além da carne, das sutilezas da lei da evolução, da bondade com que Deus o cerca concedendo-lhe sucessivas oportunidades de resgate junto a essa justiça.

Os homens ainda se orientam pelas noções do Direito, manipulado pela perícia de bons advogados que pateticamente o subverte. Deus criou leis assentadas na justiça incorruptível, que só se contenta com a reparação do mal naquele ponto em que foi violada. Credor paciente e cheio de bondade, Deus abre portas aos devedores, aceitando a moeda do trabalho, do amor, da bondade e não apenas a dor. Esta é a moeda humana para a cobrança de um delito. O amor é a moeda divina para o pagamento de qualquer agressão. Deus espera a compreensão e o amor do homem. Este, cobra de outrem a dor, semelhante ou maior a que sofreu. Como ninguém se converte por efeito de mágica, a lei no presente estágio, autoriza a dor como remédio amargo de burilamento.

O homem que é mau, diante da pena de morte, punição irreversível, não se educa para a transformação. Dê-lhe tempo, estudo e trabalho e ele inicia seu processo de busca perceptiva sobre o valor da vida. Em sua cela ele terá tempo para reorganizar o que viu, relacionando seu aprendizado com suas experiências preliminares. Com a persistência, preencherá suas ansiedades e completará suas intenções. Como passo seguinte, surge a compreensão, sempre relativa ao estágio evolutivo de cada ser.

Toda maldade resume-se em ignorância acerca das vantagens em se fazer o bem. O ignorante necessita de estudo e não de guilhotina, mesmo porque, morto o corpo, o seu desconhecimento permanece em Espírito, libertando-se apenas pelo poder da educação. A compreensão do bem e a sua conseqüente aplicação não é objetivo alcançado em uma encarnação apenas. O relógio dos séculos gira muitas vezes para formar um Espírito justo e bom. A busca perceptiva é longa, mas facilitada pelo ensino dos que já a concluíram. Desde que os magistrados façam a sua parte, construindo mais escolas, o que diminuirá o número de presídios, o homem se libertará mais cedo da ignorância que o oprime. E se deve haver cárceres, que estes sejam também escolas, para que o aprendiz não seja privado do seu ensino. Respondo agora à pergunta que fiz alhures acerca da justiça.

Sem compreender a razão da dor, o Espírito não se beneficia da sua função pedagógica. O homem ao ser condenado à pena de morte sem a chance de compreender a razão da vida, continuará

Sob a luz de Aldebarã 117

insensível no outro plano até que alguém o eduque. A compreensão vai à causa, modificando-a ou revertendo-a. E se não há causa não há efeitos. Ocorre o mesmo na obsessão. Esclarecido o obsessor, ele desiste da vingança, desde que compreenda a inutilidade desta, diante da justiça que vela por todos. Entende-se desse modo que um Espírito que odeia por largos anos, precisa de alguns encontros com doutrinadores e tempo para percorrer o caminho da compreensão.

Inútil exigir dele a desistência se ainda não fechou o ciclo do processo ensino-aprendizagem do drama que protagoniza. Diante do exposto, é forçoso admitir que Deus nos dá esse tempo para a compreensão. Muitas vezes, nós é que o malbaratamos, razão pela qual, corre em nosso auxílio a dor, pedagoga cuja função primeira é acelerar a marcha rumo à linha de chegada da compreensão, de onde o Espírito sai fortalecido para o ingresso em outros começos. Quando atingimos a compreensão já não existem mistérios. Só então, o Espírito conhece a verdade e ela o liberta do mundo obscuro do não saber.

AMNÉSIA

Amnésia significa perda de memória, fato já conhecido e bastante estudado por pesquisadores terrenos. Mas, ao analisarmos a memória em nosso grupo de estudos, um de seus membros, demonstrou não estar entendendo bem, como um Espírito ao passar para um outro mundo, trocando de perispírito, poderia conservar a memória, se esta estivesse alojada naquele.

Em primeiro lugar, sempre defendi a tese que a memória se localiza no Espírito, e não, no perispírito. Mas esta não era a questão central. O confrade julgava que havia substituição, troca de perispírito, e como outras pessoas podem pensar semelhantemente, resolvi aprofundar um pouco a questão.

Penso que o perispírito, bem como o corpo físico, são herdeiros da memória fisiológica, responsável por todos os automatismos celulares já conquistados. Cada célula com suas funções, que em conjunto formam os tecidos, órgãos, aparelhos, regidos por uma harmonia superior, trabalhando "inteligentemente" alheia à nossa vontade, constitui herança milenar da evolução da espécie. Coração, cérebro, neurônios, sangue, genes são mecanismos complexos e delicados, ainda não entendidos em suas minúcias, que nos sustentam o sopro da vida por até um século ou mais.

Milhões de anos se passaram para que chegássemos a essa maravilhosa estrutura celular que abriga outras ainda mais fantásticas. Enquanto dormimos, todo o corpo somático é

Sob a luz de Aldebarã 119

dinamismo e equilíbrio, conservando o movimento da máquina na ausência do seu guiador. Quando o complexo Espírito-perispírito se afasta do corpo, mesmo em coma de cinco anos, a maravilhosa máquina humana pode conservar seus automatismos, desde que haja combustível. É quando se diz que alguém vive apenas por causa dos aparelhos a que está ligado.

Mas, esses automatismos só se realizam se o corpo somático estiver ligado ao perispírito por um laço fluídico, ou podem ocorrer à revelia deste? Dissemos acima que tanto o corpo físico quanto o perispírito conquistaram os automatismos, puramente mecânicos, por conta da evolução da matéria orgânica e perispirítica. Os automatismos do corpo somático devem harmonizar-se segundo as características do perispírito, de vez que a carga genética que dá funcionalidade ao físico deve adequar-se as exigências cármicas do complexo Espírito-perispírito.

Talvez a pergunta 156 de "O Livro dos Espíritos" com a sua conseqüente resposta nos ilumine o entendimento.

— A separação definitiva da alma e do corpo pode ocorrer antes da cessação completa da vida?

— Algumas vezes, na agonia, a alma já deixou o corpo e não há mais que vida orgânica. O homem não tem mais consciência de si mesmo e, entretanto, lhe resta ainda um sopro de vida. O corpo é uma máquina que o coração movimenta; existe enquanto o coração faz circular o sangue nas veias; e para isso não necessita da alma.

O aperfeiçoamento da matéria, aliada ao princípio inteligente e a posteriori ao Espírito, deu origem aos automatismos. O Espírito, partindo dos instintos para a angelitude, necessitando e contribuindo para a sutileza e aprimoramento de seus corpos, imprime nestes a sua vontade soberana fazendo-os ágeis e maleáveis. O Espírito, ao passar de um mundo para outro, troca de fluidos perispirituais e não de perispírito. Este, herdeiro de tantos reflexos e automatismos não poderia deixá-los a cada troca de mundo. Esse patrimônio permanece com ele e aperfeiçoa-se com ele.

A fôrma perispiritual é preenchida com os fluidos do mundo em que vem habitar, para que através destes possa perceber as impressões e especificidades próprias do planeta. Só há interação com a matéria daquele mundo, caso haja no perispírito do visitante a afinidade fluídica que permita o revestimento perispiritual levado a efeito com os citados fluidos. Quando um Espírito superior precisa atuar na Terra, toma dos fluidos terrenos o material que deverá compor (talvez, para efeito didático, fosse melhor dizer a expressão preencher) o seu perispírito, o que lhe imprimirá a redução do potencial vibratório e todas as limitações concernentes aos habitantes terrenos.

É importante lembrar que, quanto mais evoluído é o Espírito, maiores condições ele terá de retirar da atmosfera planetária os fluidos mais puros para compor o seu perispírito. Mesmo assim, as vertigens da fome, sede, frio, calor, todas as leis físicas do planeta lhe pesarão sobre os ombros, pois ao tomar os fluidos do planeta ele passa a fazer parte daquele mundo, estando portanto submetido as suas diretrizes físicas. Só o amor puro faz um missionário das altas esferas encarnar na Terra e conviver com o sacrifício que esta lhe impõe. Mas, o que não se faz por amor?

Podemos então classificar a memória, a grosso modo, como sendo fisiológica, conquistas do corpo somático e do perispírito, e psicológica, referente ao Espírito, sede de todo o conhecimento intelectual e moral. A memória psicológica é portanto espiritual, e os corpos que o Espírito utiliza funcionam como abafadores de sua grandeza ou de sua miséria. Aliás, estes corpos são reflexos do senhor da memória, o Espírito, que se ajustam, no espaço e no tempo, à sua condição evolutiva.

Por que será, abro um parêntese, que na velhice, vamos lembrando com detalhes de acontecimentos de nossa infância, quando na idade adulta eles estavam apagados? Seria uma adaptação, uma preparação, uma volta à infância para nascermos novamente para o mundo espiritual? Estaria a memória buscando

Sob a luz de Aldebarã

contato com o ponto onde se viu abafada pelo corpo somático?

Estávamos discutindo tais sutilezas, quando o relógio nos avisou que o tempo deveria ser utilizado pelos desencarnados, também estudantes, pertencentes ao grupo, atuando em outra dimensão. Nosso amigo espiritual, ao utilizar o médium, fez a seguinte analogia: nas salas de aulas terrenas, o aluno, diante de um curso qualquer, pode ter desempenho, mau, insuficiente, regular, bom ou excelente. O que tenho notado em termos de memória, do lado de cá, é que ela pode receber a mesma classificação. Alguns chegam, e lembram de encarnações a perder de vista. Outros, mal conseguem lembrar da última. E contou um caso ocorrido com um seu amigo, de boa memória.

"...Quando ele chegou aqui, de repente ficou desmemoriado. Ninguém entendia a razão do esquecimento. Como?! Ele era um Espírito honesto, esforçado, amante da paz e da justiça, uma pessoa sem traumas... Mas 'deu um branco' e ele não conseguia lembrar de nada. Pois bem, submeteram-no a regressões de memória, palestras, meditações até que descobriu-se a razão da amnésia. Ele estava com medo. Fora a sua última encarnação em um planeta de provas e expiações e ele estava temeroso de ir para um outro planeta diferente, embora que superior à Terra. Superado o impasse, a sua memória liberou as conquistas efetuadas."

A aprendizagem é um contínuum. Não se deixa a Terra sem aprender as lições que esta pode oferecer. Se todo o volume de ensinamentos do planeta pudesse ser absorvido pelo bom aprendiz em 100 encarnações, na 101ª ele estaria apto a uma nova aventura em um mundo melhor de condições imediatamente superiores à Terra.

A memória se constrói gradativamente, sem saltos que a deixe com lacunas esvaziadas. Para habitar um mundo mais evoluído existe necessidade de amadurecimento moral e intelectual por parte do Espírito (patrimônio que constitui a memória) e também dos automatismos do perispírito (memória fisiológica). É por esta razão que alguém que não seja suficientemente evoluído não se adapta a um mundo melhor por absoluta falta de adequação fisiológica e psicológica.

A sensação de mudar de cidade, de país, de mundo, a idéia que traz embutida um esforço de adaptação, às vezes assusta o viajante. Assusta tanto, que pode bloquear sua memória nos casos agudos de insegurança frente ao novo, como aconteceu no citado caso.

É o drama de deixar os amigos, familiares, costumes, paisagens, de tornar-se estranho em terra estranha. Todavia, a parentela do Espírito não é consagüínea, mas, espiritual. Nesse contexto, ele sempre está entre irmãos, desde que com eles tenha afinidade. Nos mundos mais perfeitos, essa afinidade se alarga e caracteriza a esmagadora maioria de seus habitantes. Em mundos mais inferiores, como a Terra, essa afinidade forma pequenas ilhas frente aos interesses e objetivos de outros grupos.

De um mundo para outro a memória arrasta as experiências vividas e segue sempre adicionando conhecimentos. Como o Espírito é imortal, indestrutível é a sua memória. O caso de amnésia provocada pelo medo de enfrentar um mundo novo surpreendeu aos próprios Espíritos, que com ele tiveram contato. A insegurança em determinadas disciplinas escolares faz igualmente alguns estudantes passarem por "brancos" nas avaliações.

Cultivemos o discernimento diante de nossas aflições e a fidelidade em nossa fé. Assim nossa memória caminhará nos trilhos da razão, sem necessidade de incluir lacunas de esquecimento em meio ao oceano de conhecimento. Vivamos bons momentos, façamos o bom combate e a amnésia só conseguirá subtrair-nos os pesados fardos do orgulho, egoísmo, vaidade, intolerância, e toda a corte de séquitos que os acompanham. Assim como a memória é seletiva naquilo que lhe interessa, a amnésia também pode sê-lo.

Saturemo-nos de Deus e em qualquer lugar estaremos presentes, e de tudo daremos conta.

Orai sem cessar

O conselho de Paulo a seus contemporâneos, "orai sem cessar", chegou a alguns Centros Espíritas sem o aprofundamento devido, no que concerne à prática da oração. Não resta nenhuma dúvida de que a oração nos põe em contato com os planos divinos, sustenta-nos a fé, fortalece-nos nas provações, abre-nos as portas do auxílio através dos bons Espíritos, eleva-nos.

Todavia, sou daqueles que entendem a oração, não apenas como um ato de comunicação verbal ou emocional, mas sobretudo, como trabalho produtivo e honesto. Assim, o trabalho mediúnico bem orientado é uma prece. Uma palestra seriamente proferida é uma prece. Uma visita a enfermos para animá-los; qualquer ato bem intencionado de amor ao próximo é uma prece. Por essa angulação, a prece pode ser manual, verbal, um sentimento, um pensamento, e não apenas palavras e palavras.

Talvez esse pensamento seja típico de um homem prático, mais afeito ao trabalho que à meditação, mais confiante no que pode realizar no momento, que na espera de soluções enviadas pelos céus ou em fórmulas e soluções definitivas.

A oração é um processo interativo entre o criador e a criatura, no qual ambos os lados são ativos. Não se entende a prece como monólogo porque este exclui a comunicação e a conseqüente realização do que se aspira receber.

Dentre meus inúmeros defeitos, um que mais me impacienta, é ter que escutar demoradas ladainhas, enquanto o trabalho aguarda mãos operosas para crescer. É ver Centros Espíritas em atitudes igrejeiras, com rituais, ou qualquer formalismo exterior. Conversando com velho amigo de apurado senso prático, notei-lhe o tom reprovativo, ao referir-se a uma visita que fizera a determinado Centro Espírita, onde teve que seguir um roteiro com diversos intervalos, sendo proferida em cada um deles uma prece introdutória. Tais orientações estavam contidas em um livrinho a que ele ironicamente chamou de missal. Dos sete itens discutidos, resultaram sete preces, cujos benefícios deveriam ser projetados sobre a etapa em discussão.

Será que apenas a prece inicial e a final não bastariam? Lógico que a minha crítica sobre o "missal" vai fazer corar algumas pessoas que adoram o recital que se faz aos bons Espíritos, considerando heresia a minha intrometida opinião. Imagine! Ser contra a prece.

Calma! Não sou e nunca fui contra o uso da prece. Apenas a diversifico, considerando-a como qualquer ato positivo praticado com a vontade direcionada para o bem. Penso que alguém que passa o dia orando extensos poemas de louvor, poderia utilizar parte do tempo em atender os aflitos, lavrar o solo, escrever uma carta, ler um bom livro, ensinar a alguma criança, filosofar, cantar....

Quem trabalha está em contato com as usinas de força do universo, portanto, vitalizado. A oração tem suas sutilezas. Se fosse apenas recitada, o que seria dos mudos? Se fosse apenas trabalho, como incluir os enfermos? Se fosse apenas mental, o que dizer dos loucos? Se a praticássemos apenas aos pés dos santos, como tratar os cegos? Deus sendo justo, não deixaria nenhum dos seus filhos fora do alcance desse benefício. A oração é palavra, pensamento, ação. Qualquer uma dessas três faces pode voltar-se para Deus em prece sublime. Mesmo o louco não cai no esquecimento, posto que os bons Espíritos a ninguém excluem quando em suas orações.

É portanto a oração um ato de fé, falado, escrito, suado,

Sob a luz de Aldebarã

cantado, de tantas maneiras quantas sejam as em que o bem possa expressar-se.

Quantos são os que oram em silêncio nos laboratórios de pesquisa. São muitos os poetas, palhaços, professores, os que retiram o lixo das avenidas, deixando-as limpas para que os velhos não tropecem.

No Centro Espírita, a oração movimenta e dinamiza as atividades com energia. É a palestra, o passe, a desobsessão, o atendimento fraterno, a evangelização... "Não fingi orar demasiado, porque não será pelas muitas palavras que sereis atendidos, mas pela sinceridade delas". (O Evangelho Segundo o Espiritismo - Allan Kardec)

O Evangelho nos ensina, não a multiplicação das palavras, mas a sinceridade em nossas boas obras. Que o desencarne nos encontre antes em trabalho que em louvações improdutivas. Na verdade, muitos confundem a louvação com a negociata, oferecendo a Deus algumas frases e cânticos para depois pedir privilégios inconfessáveis.

Nossos cantos se tornam sensíveis a Deus quando entoados no tom da caridade. É a lição do Espiritismo para a humanidade. As notas musicais da Doutrina Espírita são de luzes, amor e instrução. Amor dinâmico e diversificado, pois ao que chamam de adoração sem trabalho não é amor, é bajulação. O mesmo vale para a instrução, que permeia a ciência, a filosofia, a arte e a religião.

Jesus, em seu apostolado, tinha sempre a pele queimada pelo sol e o suor como fruto do seu trabalho. Não fundou mosteiro para que os homens vivessem contemplativamente. Não ergueu catedrais para que pessoas famintas dormissem em suas calçadas. Uma prece cabe em qualquer lugar. Em qualquer espaço pode haver trabalho. Convivendo com pecadores e convertendo muitos com seu exemplo, Jesus convocava os homens ao trabalho de renovação de suas próprias existências, modificando hábitos e atitudes hostis, em gesto de acolhimento.

O homem deve ao mundo em que nasce a preservação do

bem já construído e o bom combate ao mal que encontra. Infeliz daquele que inverte essa equação e retarda o pêndulo do progresso. Pobre daquele cuja riqueza é a contemplação, filha mimada da fé sem obras. O essencial não é orar muito, mas orar bem, afirmam os Espíritos, na maior entrevista do mundo, levada a efeito por Allan Kardec em "O Livro dos Espíritos".

Se na prece falamos com Deus, no trabalho estamos em Deus. Na porta do paraíso não se observa somente o desgaste das cordas vocais, mas igualmente as mãos calejadas, os pés cansados. O pássaro canta ao amanhecer e durante o dia busca alimento, colhe pequenos ramos para o ninho, alimenta os filhotes e canta ao entardecer. O homem faz sua prece ao acordar, e à noite, agradece a Deus pelo dia vivido.

A interação criador-criatura deve ser constante. É o canto, é a poesia, é a luta, é a vida. Esta deve ser uma grande prece. Nesse contexto é que considero desnecessário sete preces para uma reunião espírita, qualquer que seja o seu caráter e a sua duração. O que se faz e como se faz na reunião, é entendido e recebido como oração nos planos celestiais, de vez que não existem reuniões espíritas destinadas a promover malefícios a ninguém.

Se é pela prece que nos lembramos de Deus é pelo trabalho que esquecemos de nós. Somos vida! Vida é movimento, cor, riso, amizade, carinho, veleiros que chegam e que partem a cada momento. A vida é a rebeldia revolucionária que Jesus exemplificou; o centralizar de energias para a conquista da verdade e da liberdade. Nem a formiga nem a cigarra como herdeiras da coroa da vida, mas ambas fazendo o trabalho conjunto, pois se é preciso cantar é urgente trabalhar.

Cultivemos a prece em nossos Centros Espíritas. Todavia, não transformemos nossas reuniões em rosário de cantilenas. A prece inicial e a final são suficientes, de vez que entre uma e outra existe a prece maior que é o trabalho. E que Deus nos ilumine para bem sabermos o que é orar.

Os suicidas

Sempre gostei de observar a natureza. Procurava mistérios para entendê-los, e através de muitos livros, fui descobrindo que de misterioso nada há sobre a face maltratada da Terra. Verifiquei que saber é poder, e que em nome do conhecimento, muitos sábios foram perseguidos e maltratados. Antes, a Inquisição os queimava. Hoje, tenta silenciá-los com mordaças de ouro, prata, seda, ou mesmo couro cru. Os ditadores, que no passado usavam espadas e fuzis, agora cultivam a bajulação, as condecorações, o verbo adocicado, que não passa de vinagre nos lábios dos justos. Os falsos religiosos, ainda acusam de hereges e impostores àqueles que não pactuam com suas hipocrisias e o populacho se maravilha com tantos mundos que os sábios trazem dentro dos olhos.

Fui descobrindo que o sábio não vende o seu saber. E quando o faz, recebe sempre mais que o que vale. O conhecimento, a sabedoria, a ética são poderes incontestáveis e perenes, temidos por todos que acreditam apenas na força bruta para a concretização de seus desejos.

Conhecimento é poder, e às vezes tão temido, que urge negá-lo. Esta é a razão nos dias atuais da existência de poucas bibliotecas nos países onde o povo é subjugado, do difícil acesso à cultura, da manipulação de informações, da ditadura da ignorância, motivo da existência de mistérios.

Por que obrigaram Sócrates a beber cicuta? Porque, diziam seus algozes, ele estava pervertendo a juventude com os seus ensinamentos. A afirmativa que o homem que come o fruto do conhecimento sempre é expulso de algum mesquinho paraíso, parece desafiar o mundo há muitos séculos. Jesus, ao ensinar a Boa Nova, foi sacrificado em nome da hipocrisia e dos interesses mundanos.

Da grande biblioteca de Alexandria, a maior e mais completa instituição de pesquisa do mundo antigo, restam apenas velhas prateleiras em decomposição. Lá, Erastótenes, Hiparco, Euclides, Dionísio de Traça, Herófilo, Héron, Apolônio, Ptolomeu, Hipácia (que mulher! Matemática e astrônoma) e tantos outros, maravilharam o mundo com suas descobertas. Por sete séculos a biblioteca de Alexandria iluminou a mente humana, até que um romano estúpido pôs fogo naquele solo sagrado, tornando-o estéril.

O conhecimento, como fator de libertação, (conhecerás a verdade e ela vos libertará) tem sido cerceado aos homens para que eles continuem dominados.

Um livro que me impressionou bastante, e que degluti página por página, foi, "Memórias de um Suicida", psicografado por Yvonne Pereira, de autoria de Camilo Castelo Branco. O livro traz o melhor e mais completo relato sobre as conseqüências do suicídio para aquele que o pratica, e faz estudos aprofundados sobre perispírito, lei de causa e efeito, ideoplastia, arquivos da alma firmando-se como excelente fonte de pesquisa para aqueles que por tais assuntos se interessem.

E foi estudando este livro que me afeiçoei de maneira perene aos suicidas, e deles não esqueço nas preces que iniciam cada reunião de desobsessão. Fui além. Organizei um caderno que fica sempre sobre a mesa das reuniões, em cujas páginas constam o nome de centenas de suicidas, retirados de jornais e noticiários. Dedico o primeiro minuto da reunião para eles, ocasião em que lhes enviamos preces e vibrações, onde quer que se encontrem. Por inúmeras vezes tenho recebido a visita desses amigos, que agradecem o apoio, a solidariedade na dor, a afeição, o amor, pois o que dedicamos a eles é o pequeno amor que temos.

Sob a luz de Aldebarã

Certa feita, um companheiro espiritual, um suicida já em recuperação, utilizou a mediunidade psicofônica para pedir que colocássemos o seu nome em nosso caderno. Dissemos na ocasião, que o nome de todos, estava escrito em um caderno mais extenso, o nosso coração. Ele se emocionou e quis nos abraçar, mas se o fizesse, disse, passaria vibrações doloridas para a nossa alma e isso ele não queria. Na verdade, aprendi com Yvonne Pereira a cultivar essa afeição, ela que igualmente alimentava uma grande ternura pelos suicidas, tendo sido um deles em encarnação passada.

Tenho tido inúmeras e belas alegrias com esse trabalho e não há caso de suicídio que não me provoque compaixão. Tanto por saber do atroz sofrimento que o causa quanto das terríveis dores que lhes são conseqüências. É uma emoção que parece me fazer mais humano, me arrancar do senso comum da noite e enviar ao vale da sombra e da morte, com leve filete de luz.

Mas, por que alguém resolve matar-se?

Por que tenta a fuga de uma situação real de vida intolerável, responde a Psiquiatria. A religião não é capaz de evitar que alguém se suicide? Isso é relativo. Há muitas religiões e pouca religiosidade. Rótulos são pregados a cada esquina. Sentimentos sinceros se firmam no suor dos milênios. A grande maioria das religiões possui um corpo de idéias confusas no que se refere ao pós-morte.

O Papa Paulo VI, falando à imprensa mundial disse: Existe uma vida após a morte, mas não sabemos como ela é. Essa afirmação, gravíssima por sinal, deixa indeciso o Espírito, que encara o amanhã como uma incógnita. Sem o esclarecimento da religião, o homem apela para a cultura exercitada em seu país, sempre a da classe dominante, que geralmente é acorrentada aos bens materiais, tanto, que não o larga.

Os amigos de César, pela impossibilidade de amar a dois senhores, pouco sabem (ou preferem ignorar) das "coisas" de Deus, razão pela qual não se tornam íntimos da fé no futuro, e o amor, esse sentimento que desata o nó da corda dos enforcados, não consegue pousar em seus calhamaços de incongruências.

O homem sem bússola ou com seus instrumentos de orientação avariados, é sempre náufrago de algum oceano. Teorias psicológicas e sociológicas tentam explicar o suicídio como fracasso na adaptação para com a vida, sem todavia, entrar no verdadeiro cerne da questão.

O homem é um Espírito imortal. Está submetido à lei de evolução e através de inúmeras encarnações vai adquirindo o conhecimento que o liberta do domínio que a matéria exerce sobre ele. Nessa caminhada, os tropeços são geralmente a regra geral. Pedagogicamente, o homem utiliza o erro como tentativa de acerto, firmando a experiência ao longo de sua aprendizagem. Ao descobrir que é imortal, que salva ou condena a si próprio, posto que não há privilégios na lei de Deus, que uma lição não assimilada significa repetência nos cursos da vida, que o objetivo real da existência é o conhecimento e o exercício do amor, ele a tudo supera em nome desse ideal.

Armando-se de um referencial seguro, ele navega em mares tormentosos, atravessa desertos, geleiras, temporais pois é imortal. Entende que a morte do corpo deve obedecer ao ciclo da vida, ou a uma boa causa, mas, nunca a fuga pelo suicídio. Na verdade, quem conhece a vida, domina a vida.

A Doutrina Espírita é um tratado lógico, belo, verdadeiro e seguro, para a preservação da vida. Quem poria o pescoço em um laço, sabendo que ele o sufocaria sem jamais matá-lo? Que aos problemas já existentes, seriam adicionados a falta de ar, a máscara lancinante da dor, a loucura, o espinho agudo do desespero, sempre em vida? Mas isso não seria ainda o pior. O desgraçado teria que voltar a encarnar em condições degradantes e passar pelo mesmo teste onde se deixou reprovar.

Conscientização pelo medo? Não! Conhecimento da verdade. A verdade se aproxima do Espírito, ora pela dor, ora pela alegria, mas sempre se impõe. A fuga da vida é o desfalecimento da coragem, o afastamento dos planos de Deus.

Sob a luz de Aldebarã

Caminho, Verdade e Vida, Jesus afirmou: Vinde a mim; e só há um meio, o combate. Baixar os olhos, baixar as armas, baixar a fé é dar vitória à derrota. A árvore busca a luz. Há uma luz sobre o mundo. Sejamos árvores frondosas. Se alguém nos corta alguns galhos com as lâminas da ingratidão, nos rouba os frutos com a opressão, nos mancha as flores com a maledicência, respondamos com a beleza de novas ramagens.

Se Deus trata assim a erva do campo que hoje é e amanhã já não existe, quanto mais ao Espírito, obra-prima da criação. A falência, a velhice, a doença, o desamor, a ingratidão são momentos, lições. Nem o momento é maior que o tempo nem a lição é maior que o mestre.

O Espírito é senhor do tempo e da sabedoria. Como suicidar-se alguém que aprende que a morte não existe? Como entregar-se ao desespero alguém que tem fé no futuro e faz do agora o berço do depois? Como pensar em morte aquele que entende a vida como abençoada oportunidade de crescimento e elevação?

O Espiritismo é a doutrina do homem integral. Ciência, Filosofia, Religião, aspecto tríplice que arma o Espírito de ânimo, escudo invencível contra as forças da morte. Tal Doutrina fornece o conhecimento da vida e da morte, conscientizando da eternidade da primeira e das tendências libertárias da segunda. E isso é poder.

Esta é uma das razões pelas quais não se vê suicídios nos Espíritos lúcidos. Ao mesmo tempo, somos levados a crer que, Espíritos lúcidos preferem o Espiritismo como roteiro natural de suas vidas. O restante parece sem significação frente à relevância desse fundamental aspecto: a vida.

Fugas

Sempre fugi do Natal. Talvez porque, quando criança, eles tenham sido insípidos, sem ceias especiais, sem presentes, sem palavras.

Por muitos Natais eu fiquei sozinho à espera que algo ou alguém, fosse anjo ou pessoa, que lembrasse da minha existência e libertasse a minha alma da mistura de revolta e ansiedade que eu sentia nesse dia, tão iluminado para alguns e depressivo para outros.

Na velha casa onde eu morava, o Natal chegava através das músicas do rádio, divertimento predileto da minha mãe. Nessa época, eu era um adolescente cheio de dúvidas, com cicatrizes no corpo, Espírito inquieto e sonhador. Lembro de um dia em que o rádio, que fazia minha mãe cantar músicas de Orlando Silva, Francisco Alves, Sílvio Caldas trouxe um som que me fascinou. Era um som de rebeldia, e de pronto me atraiu porque sempre fui um rebelde com alvos definidos, ao contrário dos rebeldes sem causa.

A minha rebeldia é uma força que transforma a pedra inculta em mármore, terra agreste em celeiros, descontentamento em satisfação. O som das guitarras dos Beatles, esse era o conjunto que me eletrizou quando adolescente, passou a incendiar a minha vida, e eu mudei na escola, no bairro, na poesia que escrevia e até na maneira de pentear os cabelos, sempre de lado, à moda "Odete", criada por minha mãe.

Sob a luz de Aldebarã   133

Só o Natal continuou sendo o mesmo. Sempre adormecendo o meu lado alegre e despertando a minha visão dramática. Hoje, Natal, noite, reconheço que fugi bem cedo para outro tempo. Tempo em que se escuta milhares de sons, mas continua-se a acreditar que o mais agradável é o silêncio.

Nem todo conhecimento espírita acumulado ao longo de anos de estudos, que me manda priorizar o trabalho junto aos tristes, consegue impedir essa fuga natalina. Por isso a vida me tomou de assalto bem cedo e me levou à infância, tempos de liberdade, de aventuras, de inconseqüência.

Naqueles dias, eu andava horas para tomar banho em uma lagoa, sem interessar-me se ela estava poluída. Eu nem sabia o que era poluição. Corria atrás de borboletas, subia em grandes árvores e gostava de pular de cima da casa só para sentir um "friozinho" na barriga durante a queda sobre um monte de areia existente no quintal. Por muitas vezes cortei os pés com vidros, arames e pedregulhos. Apanhei muitas vezes por essas aventuras, o que me parecia um preço alto, mas que não vacilava em pagar.

Hoje sou estranhamente perfeccionista, exigente para comigo, para com a vida. Às vezes, sinto-me cansado, porque quem persegue a perfeição enfrenta volumosas decepções e obstáculos a cada trilha. Mas, essa mania vem de longe. Dos tempos em que fazia pipas. Detalhadas, centradas em técnicas, elas sempre voavam além dos morcegos, que ao entardecer acordavam para a lida. De quando em vez sou acometido dessa nostalgia. Parece que tive de adaptar-me à vida por extrema pressão, e não, por concordância do meu Espírito.

Meus companheiros são rudemente adultos e defendem esse estágio com o peso de suas experiências, de adultos, é claro. Meu trabalho é severamente adulto. Minhas roupas são rigorosamente adultas. Meu barbeiro sabe que meu corte é adulto. Mas a vida em si continua cheia de apelos saudosistas.

O cheiro de terra molhada, que eu respirava; as fruteiras atrás das cercas, que eu pulava; o gado manso, que eu puxava o rabo; os passarinhos, contra os quais eu nunca atirei pedras; o amanhecer e o entardecer, que eu adorava....

Só o tempo de participar, envolver-se, vivenciar é que parece tomado pelos gestos de adulto. O processo de crescimento é sofrido quando subtrai os "contatos prazerosos" do Espírito com o seu meio.

Sinto uma imensa saudade do antes, quando brigávamos e instantes após estávamos unidos. No mundo dos adultos existe o ressentimento, a mágoa, essa coisa horrível de competir sem amparar a queda do outro. Os adultos tomam sorvete como se estivessem ingerindo qualquer alimento. As crianças o fazem devagar, lambendo os dedos, e nunca jogam a casquinha fora.

Mas, é a vida. Tenho que conviver com a minha idade que também tem a sua beleza. A beleza de identificar o senso do ridículo, a mesquinharia barata, e tentar não se contaminar com eles.

Já que estou de volta da viagem nostálgica do Natal, registro nessa página minha fotografia atual, para o velho álbum da vida.

Fotografia

Eu nunca estive em New York nem em Bombaim
Não conheço as ilhas do Caribe nem sinto vontade de visitá-
las
Eu não gosto de caviar nem saberia beber champanhe sem
tossir

Eu nunca coloquei uma única jóia sobre a pele
Não sou afeito a maquilagens ou carnavais
Meu nome jamais ocupou qualquer coluna social

Eu gosto de chão, de mato, de sol, de mar
De gente simples, que tira o chapéu quando fala em Deus
De pessoas que plantam, que vão ao leprosário sem venda
nos olhos
De gente que trabalha, honesta, que defende a justiça
De pessoas, cujos gestos são poemas e nem se apercebem

Eu gosto de gostar da vida
De ter saudade do futuro
De ouvir a música do vento
Do gotejar de chuva nas vidraças
De ver o azul nas poças de água

Gosto de fumaça de trem

Do cheiro de flores silvestres, de neve, de cores, do transcendente

Pertenço ao mundo da simplicidade

Por que guardaria meu coração no cofre dos adormecidos?

MÃE DE DEUS

Dentre as antigas orações que meu pai fazia, havia uma que me chamava a atenção, pela incoerência nunca corrigida por ele, que sempre se pautara pelo bom-senso e pelo equilíbrio. Mas meu velho, com toda a sua vigilância em favor dos acertos, nunca ligara para tal detalhe, que particularmente me incomodava.

Aquele parecia ser seu ponto de tolerância, pois mesmo sabendo que Deus jamais tivera mãe, agia como se desconhecesse o fato, como quem diz: oração é para ser rezada, e não para ser contestada. Costumeiramente o encontrava em seu monólogo com Maria, quando à noite ele pegava seu antigo livro de orações e recitava: Santa Maria, mãe de Deus, rogai por nós....

Se Maria é mãe, quem é o pai? perguntava eu em tom de brincadeira. O certo é que o fato de se ter uma mãe traz em seu bojo a idéia de ter sido gerado, o que é incompatível com o conceito de Deus, criador absoluto de todas as coisas.

Mas por que o culto a Maria é tão forte em determinados templos, superando às vezes, até mesmo a gratidão que devemos a Jesus? Cita a História que essa devoção vem aumentando a partir do ano 431, quando o Concílio de Éfeso, reunido em uma Igreja que supostamente guardava seus restos mortais a declarou "Mãe de Deus". Durante a Idade Média, incorporou-se ao seu culto inúmeros atributos de deusas mitológicas das religiões existentes na Antigüidade, atribuindo-se a mãe de **Jesus** os mais variados milagres.

138   *Luiz Gonzaga Pinheiro*

Atualmente, tempo de profundas contestações, podemos ler em textos autorizados pela Igreja Católica, como o do padre Raymond Brown, a seguinte argumentação aqui resumida: A Bíblia de Jerusalém, fiel ao texto original hebraico, não cita a palavra "virgem", mas sim "jovem", "moça". Para esse autor, o texto que se refere a virgindade de Maria poderia ser traduzido da seguinte forma: uma mulher, atualmente virgem, conceberá por meios naturais, logo que passe a conviver com o seu marido.

Para mim, o fato de Jesus ter nascido através de um ato sexual não tem nenhuma significação frente à sua inquestionável evolução espiritual. Assim nasceram Buda, Francisco de Assis, Vicente de Paula, Antônio de Pádua, Confúcio, todos os habitantes da Terra. O contrário, nascer de uma mulher virgem, sem a presença de um espermatozóide, seria uma discriminação, de vez que as leis biológicas vigentes no planeta não autorizam semelhante proeza, a não ser em alguns casos excepcionais de partenogênese entre determinados insetos (abelhas) e nunca entre os homens...

Se Jesus não veio destruir a lei, se em tudo (fisicamente) ele foi semelhante a seus irmãos, por que haveria de ser diferente nesse detalhe que tantos prejuízos causou ao exercício sexual a partir de então? Se ele evitou nascer através de um ato sexual é porque não quis submeter-se a um ato impuro e indigno de sua angelitude. Foi a dedução da mentalidade da época. Mas Jesus negou essa pseudo contaminação ao conviver, falar, andar, alimentar-se com prostitutas e gente de toda laia. Para ele, os sãos não precisavam de médicos, e como para o que detém o medicamento o natural é buscar os enfermos, foi o que ele fez.

Creio que Jesus não recusaria o nascimento através da função sexual, deixando no ar certa nota de imoralidade relacionada com a sublime função reprodutiva. Tanto que se dizia o filho do homem, posto que um homem lhe fornecera a carga genética, o corpo, instrumento para que o Espírito pudesse atuar em meio denso. Mas Jesus reconhecia outro pai, o Pai celestial, a

Sob a luz de Aldebarã 139

quem se reportava orando: Pai Nosso, que estás no céu.... "Se sendo maus sabeis dar boas coisas a vossos filhos, quanto mais vosso Pai celestial que está nos céus, dará boas dádivas aos que lhas pedirem. (Mateus: VII: 7-11) Jesus não foi filho único. Isso fica bem claro nos Evangelhos. "Não é ele o filho do carpinteiro? Não se chama a mãe dele Maria e os seus irmãos Tiago, José, Simão e Judas? E as suas irmãs não vivem todas entre nós? (Mateus: 13:55-56); "Olha que tua mãe e teus irmãos te buscam aí fora (Mateus: VII: 46-50); "Pois nem mesmo os seus irmãos acreditavam nele (João: 7-5); "Eram assíduos à oração, com algumas mulheres, entre as quais Maria, mãe de Jesus, e os irmãos dele (Atos: I:12-14); Não vi nenhum outro apóstolo, mas somente Tiago, irmão do Senhor. (Paulo - Gálatas 1:19)

No livro "Memórias de um Suicida" psicografia de Yvonne Pereira, podemos ler uma das raríssimas alusões a esse Espírito, em obras espíritas. "Legião dos Servos de Maria — Legião chefiada pelo grande Espírito Maria de Nazaré, ser angélico e sublime que na Terra mereceu a missão honrosa de seguir, com solicitudes maternais, aquele que foi o redentor dos homens".

Assim se expressa Camilo Castelo Branco, suicida que teve a autorização de escrever um romance sobre a situação desses desgraçados no plano espiritual, esclarecendo aos homens o grande equívoco que é o suicídio, crime passível das mais rigorosas expiações.

É o que sabemos sobre Maria atualmente de vez que da coordenação e implantação do movimento espírita sobre a Terra não consta que ela haja participado explicitamente.

Para nós espíritas, Pai, filho e Espírito Santo não formam uma unidade como se todos fossem iguais e inseparáveis. Deus é o Pai justo e misericordioso. Filhos somos todos nós, os já evoluídos e os que um dia, através do processo evolutivo, atingirão a condição de Espíritos puros. Espírito Santo é o conjunto formado por todos os Espíritos que auxiliam na obra de Deus, sob suas diretrizes.

Reconhecemos em Maria um Espírito angélico e trabalhador, em Jesus o Espírito mais perfeito que encarnou na Terra e em Deus, a causa primária de tudo, inteligência suprema, criador incriado. Nesse contexto é que me sentia incomodado com meu velho pai quando dizia ser Maria a mãe de Deus.

E existe algum mal em chamar Maria de Mãe de Deus? Nenhum. Exceto o de não se estar falando a verdade. E Jesus disse: Eu vim a este mundo para dar testemunho da verdade. Quem é da verdade ouve a minha voz.

Saber e Sabor

A primeira vez que entrei na escola, puxado pelo pesado braço de minha mãe, o fiz fora da cadência da vida. O coração, regente de percussão orgânica, ficara sobre o travesseiro, lugar de confidências e de lágrimas. Inútil dizer que não estava com medo. Olhar parado, mãos tremendo, passos vacilantes como quem vai para o cárcere, teria que enfrentar a maior de todas as experiências humanas, o saber. A situação agravou-se ainda mais quando minha mãe autorizou a professora a castigar-me, caso eu ousasse desobedecê-la. Naquele instante, desejei ser filho da professora. Assim, talvez ela me protegesse.

Naqueles idos dias de minha infância, quando a minha curiosidade firmava-se orientada por outra escola, a da fantasia, a ânsia pela busca do conhecimento estava cheia de mágicas, e nenhum herói era mais potente que eu mesmo. Mas, aquele primeiro dia aparentava ser terrivelmente ameaçador aos meus valores de então. Decepcionei-me. Pensei que a escola os fortaleceria e os senti frágeis diante do apagador da professora.

Naquela manhã eu não consegui ver o lado iluminado da escola. Tudo vem de Deus, portanto, tudo tem um lado iluminado. Mas em se tratando da escola, qual? Minha cabeça procurava respostas para acalmar-se, indecisa na luta entre a dificuldade e o desânimo, disputa freqüente a ocupar largo espaço no coração humano, ainda longe de acreditar que o amor tem como parte, a aceitação das diferenças do todo. Permiti a canga, não como animal dócil, posto que os coices não faltaram. E fui calvário abaixo, sendo tratado como alguém sem vontade própria, com interesses a serem determinados pela professora.

Fui considerado uma fita a ser gravada, como se não tivesse vivido nenhum melodrama. Tentaram fazer de mim um eficiente repetidor de conceitos. Uma segunda Santana, velha beata que não rezava, mas dizia amém no final das ladainhas. Mostraram-me um mundo departamentado, com cercados, tronos e arados. Poesia de um lado, Ciência de outro, Filosofia acima, Religião abaixo, risada lá fora, traquinagem no cofre, aqueles dias foram de funerais, posto que a criatividade e o bom humor, marcas fortes de minha alma, estavam catalépticos. Dias onde a escola tinha mais sofrimento que beleza em seu espaço sem fim, quando deveria ser espaço meio. Tempo de mordaça na boca de estudante, onde saber e sabor não possuíam as mesmas raízes, onde criança era visto como adulto ainda não crescido.

Pois bem! O sol fora da classe estava cheio de convites suaves contrastando com o chumbo que parecia contaminar o relógio da classe. Tensão em alta, ansiedade transbordando pelos poros, segurei o lápis para os primeiros rabiscos. A angústia não me permitia traçar retas, e os riscados pareciam feitos pelas mãos do "seu Gino", que nunca paravam de tremer por causa do "mal de Parkison". Tentei fazer uma letra parecida com a cangalha que Ataíde colocava pela manhã no lombo do seu burro para ir buscar o capim elefante para o gado. O suor colava à testa meu cabelo, que naquele tempo tinha o escuro do anu. A boca, faltando o incisivo central quebrado na queda do cajueiro, estava ressequida. A professora entendeu a minha asfixia, que não era diferente de outras ali presentes. Acercou-se de mim com ares de madona e perguntou: quer ir beber água?

E foi assim a minha primeira fuga da sala de aula. O início da guerra para tentar conciliar saber e sabor naquela insípida manhã de março.

O Espiritismo é a escola do saber e do sabor. Voltada para

uma aprendizagem útil e transcendente, ela motiva o aprendiz para o aperfeiçoamento e a disciplina de si próprio, atitude que invariavelmente repercute nas relações familiares, sociais, profissionais e em qualquer outro tipo de relacionamento. Ser espírita é buscar o melhor e viver o melhor, não segundo as convenções do mundo, mas guiando-se pelos padrões da ética e da sabedoria. Saber e sabor formam um dueto sempre presente nas lições da codificação. Não saber é perder o sabor de tão consoladora doutrina. E não consta nos anais de tão bonito planeta que nos abriga, aventura mais bela que o saber.

Dê sabor a sua vida. Estude.

Conclusão

Sob a luz de Aldebarã é um livro que faz um passeio pela adolescência de um jovem espírita, mostrando alguns questionamentos em sua aprendizagem doutrinária, segue pelas estações do trabalho de campo, sementeira do Senhor, finalizando no momento hoje, o melhor de nossas vidas.

As dúvidas ou questionamentos doutrinários, não se referem a "pontos básicos", mas a pequenas adequações, no sentido de clarificar o entendimento de quem tem a felicidade de um encontro com o Espiritismo.

Quanto ao trabalho, o tornar visível, material, o sentimento fraterno que a Doutrina aconselha, que liberta da acomodação e faz caminhar para a autonomia, este é obrigatório em qualquer estação. Só existe outono para quem observa o exterior dos vegetais. Sob galhos aparentemente adormecidos, há centenas de folhas e flores em gestação.

É belo estudar. Mas, o que fazer com o estudo? Guardá-lo para si deixando a candeia sob o alqueire? Estudo e trabalho se complementam, de maneira que um sem o outro é rio sem água, espetáculo sem público, discurso sem prática.

O passeio termina na estação do agora. Este momento precisa ser reflexivo, para que o próximo, o de amanhã, não seja depressivo. O momento presente é senhor de milhares de caminhos e descaminhos. Precisa de olhares de arquitetos e mãos de serviçais, porque são as pedras do castelo onde nossa alma se abrigará no

Sob a luz de Aldebarã   145

depois. O hoje é a liberdade do amanhã.

Na verdade, o momento presente tem o poder de nos enviar para o pântano ou para os jardins celestiais se assim o quisermos.

Sob a Luz de Aldebarã mostra que de tudo há pelos circos da vida, mas nem todo picadeiro nos convém. Enfatiza o Espiritismo como o maior e melhor espetáculo religioso que alguém pode conhecer, pois que induz ao otimismo e a esperança, em meio a tantas ansiedades. E que não existe quem lhe negue aprovação, pois um encontro com ele é um abraço com a liberdade.

A excelência da Doutrina Espírita recompõe as fibras da alma e ensina a caminhar sem o pesado lastro da angústia.

Na crise da razão em que hoje vivemos, o Espiritismo explica a razão da crise, e nos ensina a superá-la rumo a paz de espírito. E isso é na atualidade, o espetáculo maior de nossas vidas.

OBRA DO MESMO AUTOR

O PERISPÍRITO E SUAS MODELAÇÕES

• *294 p.* • *15,5x21,5 cm*
Estudos sobre o perispírito

Com este trabalho o autor vai mergulhar mais fundo no fascinante oceano espiritual. Obra imperdível para conhecer sobre o perispírito, suas modelações e os reflexos das atitudes no corpo espiritual.
"Uma notável contribuição para o espiritismo brasileiro", no dizer do escritor Ariovaldo Cavarzan.

Obras do Mesmo Autor

MEDIUNIDADE - TIRE SUAS DÚVIDAS
• 192 p. • 14x21 cm
Mediunidade

Uma obra esperada pelos espíritas. O prof. Luiz Gonzaga Pinheiro (Fortaleza-CE), reestruturou o livro agora em duas partes: para iniciantes e iniciados na Doutrina, e especialmente para quem pratica ou quer desenvolver a mediunidade. Prático, apresentado em forma de questões do Livro dos Médiuns, foi elaborado pelo autor com simplicidade e objetividade.

ESPIRITISMO E JUSTIÇA SOCIAL
• 171 p. • 14x21 cm
Questões sociais à luz do Espiritismo

As expressões "não gosto de política" e "religião nada tem a ver com política" são do extremo agrado dos maus políticos, de vez que afastam inúmeros vigilantes de suas ações. Mas é preciso que se diga que tanto a política não é culpada pela ação dos maus políticos quanto o Espiritismo não responde pelo mau uso que possam fazer dele. Se o espírita se afasta da política, deve saber que abdica de seus direitos e os entrega a quem pode abusar deles.

Obras do Mesmo Autor

HISTÓRIAS DESTE E DO OUTRO MUNDO
• 200 p. • 14x21 cm
Crônicas, contos/dissertações

Livro que contribui para esclarecer o leitor sobre uma interessante e bem diversificada gama de situações, vivenciadas principalmente na rotina das atividades mediúnicas.

PÉROLAS DA INFÂNCIA
• 144 p. • 14x21 cm
Crônicas, contos/dissertações

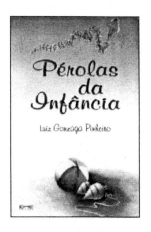

Livro que nos remete à infância, criando oportunos contrapontos com a vida adulta. Um tempo em que Espiritismo era coisa para gente grande. Mas um tempo que às vezes marca tão profundamente que, passados muitos anos, ainda sabemos contar, de maneira colorida, as pérolas que nele encontramos.

Obras do Mesmo Autor

DIÁRIO DE UM DOUTRINADOR
• 212 p. • 14x21 cm
Experiências de dirigente de reuniões mediúnicas

É obra que enfoca, através de relatos sintéticos e de fácil assimilação, a realidade de uma reunião de desobsessão. São narrados fatos reais, onde a necessidade de conhecimento doutrinário, da aquisição da disciplina moral e mental são indispensáveis. Recomenda-se como livro obrigatório para médiuns, dirigentes e doutrinadores em centros espíritas.

VINTE TEMAS ESPÍRITAS EMPOLGANTES
• 196 p. • 14x21 cm
Crônicas/dissertações

Um livro que trata com elegância e de forma agradável temas da atualidade e também doutrinários: Homossexualismo, Violência e seus afins, Aborto, Suicídio, Planeta Marte, A Bíblia e assuntos polêmicos, O Espiritismo e a mulher (seus direitos e sua contribuição), Ubaldi x Kardec, Perispírito e genética, Obsessão e Depressão entre outros.

┌─Obras do Mesmo Autor─┐

UM ESPAÇO PARA OS MIOSÓTIS
•162 p. • 14x21 cm
Contos/crônicas

O livro é uma robusta coletânea de ensaios sobre temas variados, que vão desde o dia-a-dia do movimento espírita, passando pela tirania da preguiça, o testemunho do "vampiro", os homens elétricos, até a fuga das galáxias.

O professor em vinte capítulos faz um passeio literário e doutrinário que agrada ao leitor mais exigente.

TERAPIA DAS OBSESSÕES
•128 p. • 13x18 cm
Prevenção/terapia da obsessão

A obsessão é a ação persistente de um mau Espírito sobre uma pessoa.

Apresenta características muito diversas, desde a simples influência de ordem moral, sem sinais exteriores perceptíveis, até a completa perturbação do organismo e das faculdades mentais...

Allan Kardec

Os MAIS VENDIDOS

Getúlio Vargas em dois mundos
Wanda A. Canutti (Espírito Eça de Queirós)
Biografia romanceada vivida em dois mundos
•300 p. - 14x21 cm

Uma obra que percorre importantes e polêmicos fatos da História, da época em que Vargas foi presidente do Brasil. Descreve também, seu retorno ao plano espiritual pelas portas do suicídio. Ditada pelo Espírito Eça de Queirós, a obra surpreenderá o leitor mais familiarizado com a extensa obra deixada pelo grande Eça há quase um século.

O Evangelho Segundo o Espiritismo
Tradução Matheus Rodrigues de Camargo, revisão de Celso Martins e Hilda F. Nami
• 352 p. – 13,5 x 18,5 cm

Os Espíritos do Senhor, que são as virtudes dos céus, como um imenso exército que se movimenta, ao receber a ordem de comando, espalham-se sobre toda a face da Terra. Semelhantes a estrelas cadentes, vêm iluminar o caminho e abrir os olhos aos cegos.
O Espírito de Verdade

Mensagens de Saúde Espiritual
Wilson Garcia e Diversos Autores
Meditação e auto ajuda – 124 p. – 10 x 14 cm

A leitura (e releitura) ajuda muito na sustentação do nível vibratório elevado. Abençoadas mensagens! Toda pessoa, sã ou enferma, do corpo ou da alma, devia ter esse livreto luminoso à cabeceira e ler uma mensagem por noite.
Jorge Rizzini

Não encontrando os livros da EME na livraria de sua preferência, solicite o endereço de nosso distribuidor mais próximo de você através do Fone/Fax: (0xx19) 3491-7000 / 3491-5603.
E-mail: editoraeme@editoraeme.com.br – Site:www.editoraeme.com.br

Fale conosco!!!

Queremos saber sua opinião sobre o livro "Sob a luz de Aldebarã". Você pode também mandar sua sugestão ou até mesmo sua crítica.

_____
_____
_____
_____
_____
_____
_____
_____
_____
_____
_____
_____
_____
_____
_____
_____
_____
_____

Receba em seu endereço, gratuitamente, a Revista de Livros EME, o Jornal Leitor EME, prospectos, notícias dos lançamentos e marca-páginas com mensagens, preenchendo o formulário abaixo e mandando-nos através de:

Carta: Cx. Postal, 1820 - 13360-000 - Capivari-SP
Fone/fax: (0xx19) 3491-7000 / 3491-5603,
E-mail: editoraeme@editoraeme.com.br - **_Site:_** www.editoraeme.com.br

NOME:_____
ENDEREÇO:_____
CIDADE/EST./CEP:_____
FONE/FAX:_____
E-MAIL:_____